中華國學經典百部

精華本

墨子

〔战国〕墨翟 著
宿磊 译注

中国书店

图书在版编目（CIP）数据

墨子 /（战国）墨翟著；宿磊译注 . —北京：中国书店，2023.10

（中华国学经典百部：精华本）

ISBN 978-7-5149-2963-8

Ⅰ . ①墨… Ⅱ . ①墨… ②宿… Ⅲ . ①墨家②《墨子》–研究 Ⅳ . ① B224.5

中国版本图书馆 CIP 数据核字（2022）第 075992 号

墨子

〔战国〕墨翟 著　宿磊 译注

责任编辑：赵文杰

出版发行：中国书店

地　　址：北京市西城区琉璃厂东街 115 号

邮　　编：100050

电　　话：（010）63171753（总编室）

　　　　　（010）63017857（发行部）

印　　刷：三河市嘉科万达彩色印刷有限公司

开　　本：787mm × 1092mm　1/32

版　　次：2023 年 10 月第 1 版第 1 次印刷

字　　数：144 千

印　　张：6（全 300）

书　　号：ISBN 978-7-5149-2963-8

定　　价：1490.00 元（全 50 册）

前言

历史上有许多人，对于他们的名字我们既熟悉又陌生，熟悉是因为他大名鼎鼎、家喻户晓；陌生是因为细究起来，除了几个标签似的名词之外，我们对这些人好像一无所知。墨子就是这么一个人。提到墨子，一般人无非能想到“墨家学派”“兼爱”“非攻”这些词汇，除此之外则是一片茫然。

其实，一般人对墨子知之甚少不足为奇，因为连专家学者知道的也不多——关于他的记载实在太少了，不仅生卒年无法确定，甚至连姓氏也没有定论。有人说，墨子不姓墨，而是姓翟，因为他的母亲生他前梦到了乌鸦，于是给他的小名取为“墨”；有人说，他是受了墨刑的囚徒，所以人们给他起了这个绰号；还有人说，他之所以叫墨子，可能因为他本身是印度人，肤色比较黑……当然，通常人们还是认定“墨”是他的姓，“翟”是他的名。

墨子生活在战国初期，大约出生于公元前468年（一说前480），卒于公元前376年（一说前390）。除此之外，他的籍贯也有许多种说法，有人说他是宋国人，有人说他是楚国人，但学界多认为他是孔子的同乡——鲁国人。由《墨子》一书，我们大概可以推测，墨子的出身不太好，可能是个手工业者。不过，他并没有放任自己庸庸碌碌，而是像孔子一样，以天下苍生为念，开宗立派，创立学说，并且游说各国，宣传自己的政治主张。

根据《淮南子·要略》的说法，墨子最初为儒家弟子，后来出于对儒家学说不满而自创一派。可以说，墨家学说是墨子对儒家学说进行反思和批判的产物。事实上，《墨子》对儒家学说充满了攻击，比如《节葬》《节用》《非乐》《非儒》等就是典型代表。

墨家作为一个以“非儒”立场出现的学派，与儒家平分秋色，成为当时的显学。显学包括两个要素，一个是队伍壮观，声威显赫；另一个则是仕途通达，君主信任。要做到这两点，关键就在于和历史前进的方向保持一致。墨子生活的战国已经不同于孔子所在的春秋时代，此时，周代制度几乎被破坏殆尽，孔子以宗法贵族文化的旧瓶装官僚地主社会之新酒的做法，无疑已经跟不上历史的进程了。因此，墨子便结合贵族社会行将灭亡这种新的历史环境而对儒家学说进行反思，创立了墨家。

在《公孟》一篇中，墨子一针见血地指出了儒家学派足以丧天下的四个方面：第一，儒以天为不明，以鬼为不神，天鬼不说，此足以丧天下。第二，厚葬久丧，重为棺椁，多为衣衾，送死若徙，三年哭泣，扶后起，杖后行，耳无闻，目无见，此足以丧天下。第三，弦歌鼓舞，习为声乐，此足以丧天下。第四，以命为有，贫富寿夭、治乱安危有极矣，不可损益也。也就是说，儒家不信鬼神、无敬畏之心，却又重祭祀、耗费民财，而且重视礼乐、滥用民智，主张人们信天命、消解民众积极性，这样一来，统治天下的人不从事政治，被统治的人不从事事务，天下便丧亡了。

当然，在“非儒”的同时，也提出了自己的主张：

第一，明确提出了兼爱、尚贤的平民政治理论，从而在理论上彻底打破了贵族阶级以亲亲为原则的血缘贵贱论。

第二，明确提出了尚同和如何成为天子的问题，为建立一个取代周王朝的新的中央集权王朝提供了理论基础。

第三，明确提出了一种功利主义的政治哲学，这比儒家的道德政治更为符合统治者选拔人才的心理和任用人才的原则。

第四，具体提出了“非攻”“节用”“节葬”“非乐”等政治主张，对当时统治者贪得无厌的掠夺和穷奢极欲的享乐进行了尖锐的批判。

《墨子》一书，原为七十一篇，现存五十三篇，本书则选录了其中的二十四篇。虽然只有不到一半的篇幅，但由于《墨子》本身存在内容重复的问题，此次选录基本上囊括了《墨子》的全部核心思想，因此亦有全本之功。

由于编者学识有限，在编选过程中难免有所疏漏，还望广大读者朋友不吝赐教。

目录

亲士

【题解】

本篇讲的是君王如何选用人才。在墨子看来，君王能否选用贤士，关系着国家的兴亡。他通过齐桓公、晋文公、越王勾践的例子来证明，如果选对了人才，即使遭遇灭国之祸，也能够由逆转胜，重新建立霸业。除此之外，还强调君王必须具备宽容、体谅的态度，给人才以合适的位置，让他们各抒己见，面折廷争，才能成就不世之功。

入国①而不存其士，则亡国矣。见贤而不急，则缓其君矣。非贤无急，非士无与虑国。缓贤忘士，而能以其国存者，未曾有也。

昔者文公出走而正天下，桓公去国而霸诸侯，越王勾践遇吴王之丑，而尚摄中国之贤君。三子之能达名成功于天下也，皆于其国抑而大丑也。太上②无败，其次败而有以成，此之谓用民。

【注释】

①入国："入"为"乂"之形误。乂，治也。乂国即治国。

②太上：最上等，最上策，与"其次"相对。

【译文】

治国却不关心贤士，就会有亡国之患。发现贤才而不急于任用，这些贤人就会怠慢他们的国君。没有比起用贤人更加急迫的事了，因为若没有贤士就没有人能与之商量国家大事。怠慢贤才，轻视士人，却能使国家长治久安，是从来不曾有过的。

从前，晋文公流亡外国而最终匡正天下，齐桓公被迫离开祖国后来却称霸诸侯，越王勾践被吴王羞辱却终成威震中原的贤君，这三个人之所以建功立业，天下扬名，都是因为遭受奇耻大辱之后能够忍辱负重。最好的是从不遭受失败，其次是失败之后却能转败为胜，这是善于用人的缘故。

吾闻之曰：“非无安居也，我无安心也；非无足财也，我无足心也。”是故君子自难而易彼，众人自易而难彼。君子进不败其志，内[①]究其情，虽杂庸民，终无怨心，彼有自信者也。是故为其所难者，必得其所欲焉；未闻为其所欲[②]，而免其所恶者也。

【注释】

①内：当作“纳”，即“退”字，指不得志时。

②所欲：当为“所易”，与上文“所难”相对。

【译文】

我听人说：“并非没有安定的居所，是我的心不能安定；并非没有丰厚的资财，是我的心无法满足。”所以君子能够严以律己宽以待人，而普通人则宽容自己苛求别人。君子得意之时不改变志向，不得志时能够考察实情，即使降至平民的地位，也始终不会有怨愤之心，这是因为他有自信。所以，凡事从难处做起的人，就一定能达到自己的目的；没有听说只做自己愿意做的事，却能避免自己厌恶的后果的。

是故偪臣[①]伤君，谄下伤上。君必有弗[②]弗之臣，上必有詻詻[③]之下。分议者延延，而支苟[④]者詻詻，焉可以长生保国。臣下重其爵位而不言，近臣则喑，远臣则吟，怨结于民心。谄谀在侧，善议障塞，则国危矣。桀纣不以其无天下之士邪？杀其身而丧天下。故曰：归国宝不若献贤而进士。

今有五锥，此其铦⑤，铦者必先挫；有五刀，此其错⑥，错者必先靡。是以甘井近竭，招木近伐，灵龟近灼，神蛇近暴。是故比干之殪，其抗也；孟贲⑦之杀，其勇也；西施之沉，其美也；吴起之裂，其事也。故彼人者，寡不死其所长，故曰：太盛难守也。

【注释】

①偪（bī）臣：权势过重的臣子。偪，同“逼”。

②弗：通“拂”，违背，违逆。

③詻（è）詻：同“谔谔”，争辩的样子。

④支苟：当为“交苛”，即相互苛责的意思。

⑤铦（xiān）：锋利。

⑥错：磨砺。

⑦孟贲：齐国的大力士，据说能生拔牛角，后来被秦武王杀害。

【译文】

所以，权势大的臣子会伤害君王，善于谄媚的下臣也会伤害主上。君王必须有敢于矫正自己过失的臣子，主上必须有直言诤谏的臣属。持异见的人敢于坚持己见，互相争辩的人直言不讳，这样才可以长养民生保存国家。如果臣子只重视他的爵位而不敢对国事发表意见，那么君王身边的近臣就会缄默，外面远臣也只会私下嗟叹，于是百姓心中就会产生怨恨。君王身边全是阿谀谄媚之人，正确的言路就会被阻塞，那么国家也就危险了。夏桀和商纣不正是因为不重视天下贤士最终招致杀身之祸而失去了天下吗？所以说：赠送珍宝给国家，不若推举贤士。

现在有五把锥子，其中一把最锋利，那么这锋利的必定先折断；有五把刀，其中一把是磨得最快的，那么这磨得最快的必定最先销蚀。所以甘甜的水井容易干枯，繁茂的树木容易被砍伐，灵验的宝龟容易被灼烧用于占卦，神异的蛇容易被曝晒用来祈雨。所以，比干之死，是因为他本性刚直；孟贲被杀，是因为他勇武；西施沉江，是因为她的美貌；吴起车裂，是因为他的功业。可见这些人很少不是死于他们的所长，所以说：任何事物太兴盛了就难以持久。

故虽有贤君，不爱无功之臣；虽有慈父，不爱无益之子。是故不胜其任而处其位，非此位之人也；不胜其爵而处其禄，非此禄之主也。良弓难张，然可以及高入深；良马难乘，然可以任重致远；良才难令，然可以致君见尊。是故江河不恶小谷之满已也，故能大。圣人者，事无辞也，物无违也，故能为天下器。是故江河之水，非一源之水也；千镒[1]之裘，非一狐之白也。夫恶有同方取不取同而已者乎？盖非兼王之道也。是故天地不昭昭，大水不潦潦，大火不燎燎，王德不尧尧[2]者，乃千人之长也。其直如矢，其平如砥，不足以覆万物。是故谿陕者速涸，逝浅者速竭，墝埆[3]者其地不育。王者淳泽，不出宫中，则不能流国矣。

【注释】

①镒（yì）：古代重量单位，二十两为一镒。

②尧尧：道德高尚的样子。

③墝埆（qiāo què）：土地坚硬而贫瘠。

【译文】

因此，即使是贤君，也不喜爱没有功劳的臣子；即使是慈父，也不爱没有长进的儿子。所以，不能承担职责却占据这个职位的人，此位就不应该给他；不能胜任爵位却享受相应俸禄的人，这些俸禄也不应该给他。良弓虽然难以张开，但它可以射得高没得深；良马虽然难以驾驭，但它可以载得重行得远；贤才虽然难以驱使，但他可以使国君受到尊敬。所以，江河不嫌弃溪水灌注自己，才能汇成滔滔洪流。圣人勇于任事，处理事情不违背常理，所以能成为治理天下的良才。因此，大江大河里的水，并非只有一个源头；价值千金的裘衣，不是从一只狐狸腋下集成的。哪里有与自己的意见不同便不采纳，只采纳与自己意见相同的人的道理呢？那不是兼爱天下的君王应该遵守的道理。所以，天地昭昭不以为光明，大水潦潦不以为盛大，大火燎燎不以为炎热，王德贤明不以为高尚，这样才能做千万人的首领。如同箭一样直，如同磨刀石一样平，这样就不足以包容万物了。所以，狭隘的溪流干得快，平浅的川泽枯得早，坚硬贫瘠的土地不长五谷。如果国王的深恩厚泽走不出宫廷之中，就不能流布全国。

修身

【题解】

本篇主要讨论品行修养与君子人格问题。墨子认为，修养是一个人安身立命的根本，这个根本不牢靠，就不能成就功业。那么，具体的修养方法是怎样的呢？墨子提出了“君子之道”，即“贫则见廉，富则见义，生则见爱，死则见哀”，以及明察是非、讲究信用、注重实际等内容。

君子战虽有陈[1]，而勇为本焉；丧虽有礼，而哀为本焉；士虽有学，而行为本焉。是故置本不安者，无务丰末；近者不亲，无务来远；亲戚不附，无务外交；事无终始，无务多业；举物而暗，无务博闻。是故先王之治天下也，必察迩来远，君子察迩而迩修者也。见不修行，见毁，而反之身者也，此以怨省而行修矣。谮慝②之言，无入之耳；批扞之声，无出之口；杀伤人之孩③，无存之心，虽有诋讦之民，无所依矣。故君子力事日强，愿欲日逾，设壮日盛。

【注释】

①陈：同“阵”，指作战阵形。

②谮慝（zèn tè）：诽谤陷害。

③孩：为“荄”之误，原指草根，这里指内心的想法。

【译文】

君子打仗虽然有阵法，但以勇气作为根本；办丧事虽然讲礼法，但以哀痛作为根本；士子虽然有学问，但以品行作为根本。所以，立本不牢的，就不要期望枝节的繁茂；不能亲近身边的人，就不要奢望招徕远方的贤人；不能使亲戚归附，就不必指望与外人结交；做一件事情尚且虎头蛇尾，就不要去招揽其他更多的业务；对一件事物尚且糊里糊涂，就不必追求广见博闻。所以，先古圣王治理天下，必定会明察左右从而招徕远方的坚士。君子能够明察左右之人，能够使左右之人也能修养品行。君子不能修养自己的品行，结果被人诋毁，就应当自我反省，这样别人的怨言减少而自己的品行也逐渐得到修养。别人的谗害诽谤，进不了自己的耳朵；粗野蛮横攻击他人的言论，自己也不去说；伤害人的念头不存于心，即使遇到喜欢诋毁、攻击的人，对方也就无法施展了。所以，君子任事日益强劲，理想日益远大，事业日益兴盛。

君子之道也，贫则见①廉，富则见义，生则见爱，死则见哀；四行者不可虚假，反之身者也。藏于心者无以竭爱，动于身者无以竭恭，出于口者无以竭驯。畅之四支，接之肌肤，华发隳颠[2]而犹弗舍者，其唯圣人乎！

【注释】

①见：同“现”，显示出。

②隳（huī）颠：秃顶。

【译文】

君子的处世原则，贫穷时表现出廉洁，富贵时表现出仁义，对生者表示出慈爱，对死者表示出哀悼，这四种品行不可以是装出来的，必须发自内心。埋藏于内心的都是无穷的慈爱，一言一行都是无比的恭谨，嘴里说出来的都无比的文雅。能够让这些修养畅达于四肢和肌肤，直到白发秃顶之时仍不肯舍弃，大概只有圣人能够做到吧！

志不强者智不达，言不信者行不果。据财不能以分人者，不足与友；守道不笃、偏物不博、辩[1]是非不察者，不足与游。本不固者末必几，雄而不修者其后必惰，原浊者流不清，行不信者名必耗。名不徒生，而誉不自长，功成名遂，名誉不可虚假，反之身者也。务言而缓行，虽辩必不听；多力而伐功，虽劳必不图。慧者心辩而不繁说，多力而不伐功，此以名誉扬天下。言无务为多而务为智，无务为文而务为察。故彼智无察，在身而情[2]，反其路者也。善无主于心者不留，行莫辩于身者不立。名不可简而成也，誉不可巧而立也，君子以身戴[3]行者也。思利寻焉，忘[4]名忽焉，可以为士于天下者，未尝有也。

【注释】

①辩：通“辨”，识别。

②情：为“惰”之形讹。

③戴：通“载”，带动。

④忘：疑当作“立”。

【译文】

意志不坚定的人才智不高，说话没有信用的人行动没有结果。拥有财富却不肯分给他人的，不值得与他结交；不能信守原则、看待事物不能从大处着眼、辨别是非不清楚的人，不值得与他交往。根基不牢，枝节必定危险，有雄心却不注重品行修养的人最后必定会懈怠。源头混浊的河水必定不能清，言而无信的人名声必受损害。名声不会无端出现，而荣誉也不会自己增长，建立了功业声名必然会成就，名誉不可以虚假，必须反求之于自身。只说不做，即使能言善辩也没有人听从；做事卖力却喜欢自夸功劳，虽然劳苦却并不可取。聪明人心里明白而不多说，勤奋做事却不自我夸耀，凭借这些才能名扬天下。说话不要多但要有智慧，不要文采但要讲得清楚明白。所以，如果既没有智慧又不能明察，再加上自身懒惰，于是便会背离正道了。善良如果不从本心生出就不能长久，善行如果不是由本身辨识就不能树立。名望不会轻易形成，荣誉不会靠取巧获得，君子是言行合一的。那种功利之心重，保持名节之心短暂，却成为天下之士的，是从来未曾有过的。

所染

【题解】

本篇以染丝为喻，说明国君能否治理好国家，与他周围人的影响有密切的关系。国君周围之人关系着事业的成败、国家的兴亡，国君对此必须谨慎，也就是说，国君要慎重地选择贤才。最后，墨子又论“士亦有染”，反复论证普通的士人也要关注自己的交友，以给自己以良好的熏陶和积极的影响。

子墨子言见染丝者而叹，曰：染于苍则苍，染于黄则黄，所入者变，其色亦变，五入必，而已则为五色矣。故染不可不慎也！

非独染丝然也，国亦有染。舜染于许由、伯阳，禹染于皋陶、伯益，汤染于伊尹、仲虺①，武王染于太公、周公。此四王者所染当，故王天下，立为天子，功名蔽天地。举天下之仁义显人，必称此四王者。夏桀染于干辛、推哆②，殷纣染于崇侯、恶来，厉王染于厉公长父、荣夷终，幽王染于傅公夷、蔡公穀。此四王者，所染不当，故国残身死，为天下僇。举天下不义辱人，必称此四王者。

【注释】

①仲虺（huǐ）：商汤时著名大臣，与伊尹并为商汤左、右相，辅佐商汤完成大业。

②推哆（chǐ）：桀臣，传说能“生列兕虎，指画杀人”。

【译文】

墨子见到染丝的人便感叹道：丝染上青颜料就变为青色，染上黄颜料就变为黄色。颜料不一样，丝的颜色也跟着变化，染了五道之后，丝就变成五色的了。所以，染色这件事不可不慎重啊！

并非只有染丝如此，国君也会被“染”。舜受许由、伯阳的感染，禹受皋陶、伯益的感染，汤受伊尹、仲虺的感染，武王受太公、周公的感染。这四位君王由于受到恰当的感染，因此能统治天下，被拥立为天子，功名遍布天地。凡提及天下仁义显赫之人，一定会称颂这四位君王。夏桀受干辛、推哆感染，殷纣受崇侯、恶来的感染，周厉王受厉公长父、荣夷终的感染，周幽王受傅公夷、蔡公穀的感染。这四位君王由于受到不恰当的感染，结果导致国破身死，被天下人所耻笑。凡提及天下无义可耻之人，必定要列举这四名君王。

齐桓染于管仲、鲍叔，晋文染于舅犯[1]、高偃，楚庄染于孙叔、沈尹，吴阖闾染于伍员、文义，越勾践染于范蠡、大夫种。此五君者所染当，故霸诸侯，功名传于后世。范吉射染于长柳朔、王胜，中行寅染于籍秦、高强，吴夫差染于王孙雒、太宰嚭，知伯摇染于智国、张武，中山尚[2]染于魏义、偃长，宋康染于唐鞅、佃不礼。此六君者所染不当，故国家残亡，身为刑戮，宗庙破灭，绝无后类，君臣离散，民人流亡。举天下之贪暴苛扰者，必称此六君也。

【注释】

①舅犯：即狐偃，辅佐晋文公夺取王位。

②中山尚：春秋时中山国国君。

【译文】

齐桓公受管仲、鲍叔牙感染，晋文公受舅犯、高偃感染，楚庄王受孙叔敖、沈尹茎所感染，吴王阖闾受伍子胥、文义感染，越王勾践受范蠡、大夫文种感染。这五位君主由于受到恰当的感染，因此能够称霸诸侯，传功名于千秋万载。范吉射受长柳朔、王胜感染，中行寅受籍秦、高强感染，吴王夫差受王孙雒、太宰嚭感染，智襄子受智国、张武感染，中山尚受魏义、偃长感染，宋康王受唐鞅、佃不礼感染。这六位君主由于受到不恰当的感染，因此国破家残，自己遭受刑戮，宗庙被毁坏，子孙后世灭绝，君臣分离失散，百姓各处逃亡。凡提及天下贪婪苛暴扰民的人，一定会列举这六名君主。

凡君之所以安者，何也？以其行理也，行理性[①]于染当。故善为君者，劳于论人，而佚[②]于治官；不能为君者，伤形费神，愁心劳意，然国逾危，身逾辱。此六君者，非不重其国、爱其身也，以不知要故也。不知要者，所染不当也。

【注释】

①性：通“生”。

②佚：同“逸”，轻松安逸。

【译文】

举凡君王之所以能定国安邦，靠的是什么呢？是他们行事合理，而行事合理就需要得到恰当的感染。所以，善做君王的人，集中精力选拔人才，因而能够轻松处理国务。不善做君王的人，虽然伤身费神，用尽心力，然而国家却日趋危险，自己也不断受到屈辱。前面所说的这六位君王，并非不重国家、爱惜自身，而是由于他们不得治国要领。所谓不得要领，便是受到的感染不得当。

非独国有染也，士亦有染。其友皆好仁义，淳谨畏令，则家日益、身日安、名日荣，处官得其理矣，则段干木、禽子、傅说之徒是也。其友皆好矜奋，创作比周[①]，则家日损、身日危、名日辱，处官失其理矣，则子西、易牙、竖刁之徒是也。《诗》曰“必择所堪[②]，必谨所堪”者，此之谓也。

【注释】

①创作比周：兴风作浪，结党营私。

②堪：当读为“湛”，浸染，感染。

【译文】

并非只有国君会被感染，士子也会被“染”。如果某人结交的朋友都喜好仁义，性格都淳朴谨慎，恪守法令，其家道就会逐渐兴旺，自身一日比一日平安，名声也会不断显赫，做官也会合于正道，就像段干木、禽子、傅说这些人。如果某人结交的朋友全都喜欢狂妄自大、不守法度、结党营私，那么这人的家道就会逐渐衰落，自身一天比一天危险，名声也会日益败坏，做官也不得其道，就像子西、易牙、竖刁这些人。《诗经》上说“必须正确地选择染料，必须慎重地对待感染这件事”，正是这个意思。

法仪

【题解】

法仪，是法度、法则的意思。本篇讲的是无论待人处世，还是治国安邦，都要遵循法度。墨子认为，父母、师长、君王都不足取法，只有上天是效法的榜样。天子治理天下必须以天为法，以天意为归。所谓天意，实际上就是墨子主张的兼爱兼利原则。文中分别以古代圣王和暴君为正、反两方面的例子，指出“爱人利人”可得福，“恶人贼人”必招祸。

子墨子曰：天下从事者不可以无法仪，无法仪而其事能成者，无有也。虽至士之为将相者，皆有法；虽至百工从事者，亦皆有法。百工为方以矩，为圆以规，直以绳，正以县①。无巧工不巧工，皆以此五者为法。巧者能中之，不巧者虽不能中，放依②以从事，犹逾己。故百工从事，皆有法所度。今大者治天下，其次治大国，而无法所度，此不若百工辩③也。

【注释】

①县：即“悬”，用绳子悬一重物以测定垂直的工具。

②放依：仿效。放，通“仿”。

③辩：通“辨”，明辨。

【译文】

墨子说：天下做事的人不能没有法度，没有法度却能让事情成功，这是从来没有过的。上至名士为将做相，全都有法度；下至各种工匠做活，也全都有法度。工匠们用矩尺画方，用圆规做圆，用绳墨测定曲直，用悬锤测量正斜。无论是巧匠还是普通工匠，都要以这五种方法为法度。巧匠能切合规格，普通工匠虽做不到完全契合，但依照法度去做，还是能胜过自身原有的水平。所以说，工匠们制造器物，全都有法度可以遵循。往大了说治理天下，或者小一点治理大国，如果没有法度来称量，这是还不如工匠聪明啊。

然则奚以为治法而可？当皆法其父母奚若？天下之为父母者众，而仁者寡，若皆法其父母，此法不仁也。法不仁，不可以为法。当皆法其学[①]奚若？天下之为学者众，而仁者寡，若皆法其学，此法不仁也。法不仁，不可以为法。当皆法其君奚若？天下之为君者众，而仁者寡，若皆法其君，此法不仁也。法不仁，不可以为法。故父母、学、君三者，莫可以为治法。

然则奚以为治法而可？故曰莫若法天。天之行广而无私，其施厚而不德[②]，其明久而不衰，故圣王法之。既以天为法，动作有为必度于天，天之所欲则为之，天所不欲则止。

【注释】

①学：老师，师长。

②不德：不自居功德。

【译文】

那么，什么才是治国平天下的法则呢？如果全都效法父母会怎么样呢？天底下做父母的很多，但仁义的却极少，倘若全都效法父母，那就是效法不仁义的人。效法不仁义的人，不可以立为法度。如果全都效法师长会怎样呢？天底下做师长的人很多，但仁义的极少，倘若全都效法师长，就是效法不仁义的人。效法不仁义的人，不可以立为法度。如果全都效法国君会怎样呢？天底下的国君很多，但仁义的却极少，倘若全都效法国君，就是效法不仁义的人。效法不仁义的人，不可以立为法度。因此，父母、师长和国君三者，全都不可以作为治国的法度。

那么，用什么作治国的法度呢？可以说不如以天为法。天道广博而无私，它的恩泽深厚而不自我夸耀，它的光辉持久而不衰退，所以圣明的君王都效法它。既然以天为法度，行动作为就要以天意来称量。天喜欢的事情就去做，天不喜欢的事情就不去做。

然而天何欲何恶者也？天必欲人之相爱相利，而不欲人之相恶相贼也。奚以知天之欲人之相爱相利，而不欲人之相恶相贼也？以其兼而爱之、兼而利之也。奚以知天兼而爱之、兼而利之也？以其兼而有之、兼而食之也。今天下无大小国，皆天之邑也；人无幼长贵贱，皆天之臣也。此以莫不犓①羊、豢②犬猪，絜为酒醴粢盛③，以敬事天，此不为兼而有之、兼而食之邪？天苟兼而有食之，夫奚说以不欲人之相爱相利也？故曰：爱人利人者，天必福之；恶人贼人者，天必祸之。曰杀不辜者，得不祥焉。夫奚说人为其相杀而天与祸乎？是以知天欲人相爱相利，而不欲人相恶相贼也。

【注释】

①犓（chú）：同“刍”，喂草。

②豢：用谷米喂牲口。

③粢盛：盛在祭器中用以祭祀的谷物。

【译文】

那么，天喜欢什么厌恶什么呢？天必定是希望人与人相互友爱相互帮助，而不希望人与人相互厌恶相互残害。如何知道天希望人们相互友爱相互帮助，而不希望人们相互厌恶相互残害呢？因为天对所有人都友爱，对所有人都给予帮助。如何知道天对所有人都友爱，对所有人都给予帮助呢？因为它化育所有的人、供养所有的人。如今天下无论大国小国，都是上天的城邑；人无论长幼贵贱，都是上天的臣民。因此人们全都用草料喂牛羊、用谷物养猪狗，准备好洁净的酒食祭品，用虔敬的心来供奉上天。这难道不正是化育所有人、供养所有人吗？天既然养育所有人，怎能说天不希望人们相互友爱相互帮助呢？所以说，爱护别人帮助别人的人，上天必定会降福给他；厌恶别人残害别人的人，上天必定给他降下灾祸。所以说，杀害无辜之人，必定会得到不好的后果。否则为什么说人们相互残杀而天就降灾祸呢？因为知道上天希望人们相互友爱相互帮助，而不希望人们相互厌恶相互残害。

昔之圣王禹汤文武，兼爱天下之百姓，率以尊天事鬼，其利人多，故天福之，使立为天子，天下诸侯皆宾[①]事之。暴王桀纣幽厉，兼恶天下之百姓，率以诟天侮鬼，其贼人多，故天祸之，使遂[②]失其国家，身死为僇于天下，后世子孙毁之，至今不息。故为不善以得祸者，桀纣幽厉是也；爱人利人以得福者，禹汤文武是也。爱人利人以得福者有矣，恶人贼人以得祸者亦有矣。

【注释】

①宾：恭敬。

②遂：坠，失。

【译文】

从前的圣王夏禹、商汤、周文王、周武王，爱护天下所有的百姓，率领他们尊奉上天、敬事鬼神，他们给人们带来的帮助多，因此上天降福祉给他们，使他们成为天子，全天下的诸侯都尊敬地侍奉他们。暴君夏桀、商纣、周幽王、周厉王，厌恶全天下的百姓，率领他们诟骂上天、侮辱鬼神，他们残害的人很多，因此上天降灾祸给他们，让他们丧失国家，遭受杀身之祸还要被天下人辱骂，后代子孙咒骂他们，直到今天还没有停止。所以，做坏事而得到灾祸，说的就是夏桀、商纣、周幽王、周厉王这些人；爱护人们帮助他人而得福祉的，说的就是夏禹、商汤、周文王、周武王这些人。爱护人们帮助他人而得福祉的人是有的，厌恶他人残害他人而得灾祸的人也是大有人在的。

七患

【题解】

本篇首先论述了给国家造成危险的七大祸患，然后具体分析了如何从根本上杜绝这七大祸患。墨子指出，国家防治祸患的根本在于增加生产和节省财用，其认为在饥荒年月，上至君王，下至百官士大夫，都要削减开支，鼓励生产，想办法解救百姓的困厄，只有这样才能使国家长治久安。

子墨子曰：国有七患。七患者何？城郭沟池[①]不可守，而治宫室，一患也；边国至境，四邻莫救，二患也；先尽民力无用之功，赏赐无能之人，民力尽于无用，财宝虚于待客，三患也；仕者持禄，游者爱佼[2]，君修法讨臣，臣慑而不敢拂[3]，四患也；君自以为圣智而不问事，自以为安强而无守备，四邻谋之不知戒，五患也；所信者不忠，所忠者不信，六患也；畜种菽粟不足以食之，大臣不足以事之，赏赐不能喜，诛罚不能威，七患也。以七患居国，必无社稷；以七患守城，敌至国倾。七患之所当，国必有殃。

【注释】

①沟池：护城河。

②佼：通“交”，结交。

③拂：直谏君过。

【译文】

墨子说：国家一共有七患。七患都包括哪些呢？城墙和壕沟不足以守卫，却去兴建宫室，这是第一患；敌国大兵压境，周围的邻国却不愿前来救援，这是第二患；耗竭民力在无用的事情上，赏赐没有能力的人，民力被无用之事耗尽，国库因款待宾客而被掏空，这是第三患；出仕做官之人只懂得保住自己的俸禄，游学未仕之人只喜欢结交朋党，君王制定法令来诛戮大臣，臣子因为畏惧而不敢直谏君王的过失，这是第四患；君王自以为圣明而不过问朝政，自以为安定强盛而不知道防御，周围邻国图谋攻打而不知戒备，这是第五患；被君王信任的人不忠诚，而忠诚的人却又得不到信任，这是第六患；国家种植和储存的粮食不够吃，大臣不能够胜任国事，赏赐不能让人高兴，责罚不能让人害怕，这是第七患。一个国家要有了这七种祸患，必定会灭亡；守城如果存在这七种祸患，敌人一来国都就会倾毁。七患所到之处，这个国家必定会有祸殃。

凡五谷者，民之所仰也，君之所以为养也。故民无仰则君无养，民无食则不可事。故食不可不务也，地不可不力也，用不可不节也。五谷尽收，则五味尽御于主，不尽收，则不尽御。一谷不收谓之馑，二谷不收谓之旱，三谷不收谓之凶，四谷不收谓之馈[①]，五谷不收谓之饥。岁馑，则仕者大夫以下皆损禄五分之一；旱，则损五分之二；凶，则损五分之三；馈，则损五分之四；饥，则尽无禄，禀食而已矣。故凶饥存乎国，人君彻鼎食五分之五[②]，大夫彻县[③]，士不入学，君朝之衣不革制，诸侯之客，四邻之使，雍食而不盛，彻骖騑，涂不芸[④]，马不食粟，婢妾不衣帛，此告不足之至也。

【注释】

①馈：通“匮”，匮乏。

②五分之五：应为“五分之三”。

③县：同“悬”，指悬挂的钟磬乐器。

④涂不芸：道路不修整。涂，通“途”。

【译文】

五谷，百姓赖以生存的东西，君王赖以给养的资本。所以，百姓失去赖以生存的五谷则君王就会失去供养，百姓一旦没有食物就不能被使役。所以，粮食不可不努力生产，田地不可不尽力耕作，用度不可不尽量节省。五谷全都丰收，各种食物就都可以供养君主，如果没有全都丰收，则君主就不能全部享用。一种谷物没有收成叫作“馑”，两种谷物没有收成叫作“旱”，三种谷物没有收成叫作“凶”，四种谷物没有收成叫作“匮”，五种谷物没有收成叫作“饥”。遇上“馑”年，那么官员自大夫以下都应扣减俸禄的五分之一；“旱”年，应扣减俸禄的五分之二；“凶”年，就扣减俸禄的五分之三；“匮”年，应扣减俸禄的五分之四；“饥”年，应全部免去俸禄，只领取口粮而已。所以，当国家遇到凶饥之年的时候，君王应当撤掉鼎食的五分之三，大夫撤去悬挂的乐器，读书人停止学业，君王不要做新朝服，诸侯的宾客、邻国的使臣，招待都不宜丰盛，四驾的马车撤掉两驾，道路不加修整，马不能喂谷物吃，婢妾不能穿丝绸的衣服，这些都是告诉人们国家已经匮乏到了极点。

今有负其子而汲者，队[①]其子于井中，其母必从而道[②]之。今岁凶、民饥、道饿，重其子此疚于队，其可无察邪？故时年岁善，则民仁且良；时年岁凶，则民吝且恶。夫民何常此之有？为者疾[③]，食者众，则岁无丰。故曰：财不足则反之时，食不足则反之用。故先民以时生财，固本而用财，则财足。

故虽上世之圣王，岂能使五谷常收，而旱水不至哉？然而无冻饿之民者，何也？其力时急，而自养俭也。故《夏书》曰"禹七年水"，《殷书》曰"汤五年旱"，此其离[④]凶饿甚矣，然而民不冻饿者，何也？其生财密，其用之节也。故仓无备粟，不可以待凶饥；库无备兵，虽有义不能征无义。城郭不备全，不可以自守；心无备虑，不可以应卒[⑤]。是若庆忌无去之心，不能轻出。

【注释】

①队：同"坠"。

②道：通"导"，引导。

③疾：当为"寡"。

④离：通"罹"，遭受。

⑤卒：通"猝"，突临事变。

【译文】

如果有人背着孩子去打水，不小心把孩子掉进井中，孩子的母亲一定会赶快把他救出来。如今遇到凶年，百姓饥饿，路上有饿死之人，这种情形比孩子掉进井里还要严重，怎么能够忽视它呢？所以，年景好时，百姓就仁义驯良；遇到凶年，百姓就会吝啬凶恶。人民的性情怎么会恒定不变呢？生产的人少，吃饭的人却多，就不会有丰收之年。所以说，财用不足就反察四季生产，粮食不足就反省用度是否节约。所以，古人按四时规律生产财富，搞好农业而节省开支，于是财物就会充足。

因此，即使是上古的圣王，又怎能让五谷永远丰收，而旱涝灾害从不降临呢？然而那时却没有挨饿受冻的百姓，这是什么原因呢？不过是因为他们努力按农时耕种，同时又自奉节俭罢了。所以，尽管《夏书》上说："夏禹时期有七年涝灾。"《殷书》上说："商汤时期有五年的旱灾。"这说明那时遭受的凶荒已经很严重了，然而百姓没有挨饿受冻的，这是什么原因呢？不过是由于生产的财物多，而使用又非常节俭罢了。因此，仓库中没有储备粮食，就不能应付凶年饥荒；武库中没有武器，即便是正义之师也无法讨伐无义之国。城池如果不完备，就不能自行防守；心里没有戒备，就不能应付突发变故。这就如同庆忌没有离开卫国的思想准备，就不应该轻易出走。

夫桀无待汤之备，故放；纣无待武之备，故杀。桀、纣贵为天子，富有天下，然而皆灭亡于百里之君者，何也？有富贵而不为备也。故备者国之重也，食者国之宝也，兵者国之爪也，城者所以自守也，此三者国之具也。

故曰：以其极赏以赐无功；虚其府库以备车马衣裘奇怪[1]；苦其役徒以治宫室观乐；死又厚为棺椁，多为衣裘；生时治台榭，死又修坟墓。故民苦于外，府库单[2]于内，上不厌[3]其乐，下不堪其苦。故国离寇敌则伤，民见凶饥则亡，此皆备不具之罪也。且夫食者，圣人之所宝也。故《周书》曰："国无三年之食者，国非其国也；家无三年之食者，子非其子也。"此之谓国备。

【注释】

①奇怪：奇珍异宝。

②单：通“殚”，耗尽。

③厌：通“餍”，满足。

【译文】

当初夏桀没有对付商汤的准备，所以被放逐；商纣没有对付周武王的准备，所以被杀。夏桀和商纣贵为天子，富有天下，然而全都被方圆百里的小国君主所灭亡，这是什么原因呢？因为他们虽富贵却不知道做防备。因此，防备是一个国家最重要的事，粮食是一个国家的宝贝，兵器是一个国家的爪牙，是城池一个国家用来自卫的，这三个是治国安邦的利器。

所以说，将最高奖赏赐给无功之人，耗尽国库中的钱财用来购置备车马衣裘及奇珍异宝，使百姓从事苦役以建造宫室及观赏游乐之所，君王死之后又制作厚重棺椁及许多华丽的衣裘。君王活着时修建亭台楼榭，死后又大修墓葬。所以，外面百姓受苦，内廷府库空虚，君上的享乐无法满足，底层百姓不堪忍受苦难。于是，国家一遇到敌寇就会元气大伤，百姓一遭受凶饥就会逃亡，这些都是平时不做防备的罪过。况且，粮食是圣人所宝贵的。所以，《周书》中说：“一个国家如不储备三年的粮食，国家就不能称其为国家；一个家庭如不储备三年的粮食，这个家庭的子女就不属于这个家庭。”这就是说国家要有所储备。

辞过

【题解】

本篇虽以“辞过”为名，但主要是通过宫室、衣服、饮食、车船、蓄私这五个方面的古今对照，突显上古圣王因为节制而造就国富民强、天下太平，批判当下的统治者由于奢侈放纵而导致百姓贫病、国家混乱。在这一基础上，墨子主张统治者应当改掉这五方面的过失，故名之为“辞过”。

子墨子曰：古之民未知为宫室时，就陵阜而居，穴而处。下润湿伤民，故圣王作为宫室。为宫室之法，曰：“室高足以辟①润湿，边足以圉②风寒，上足以待雪霜雨露，宫墙之高足以别男女之礼。”谨此则止。凡费财劳力，不加利者，不为也。役，修其城郭，则民劳而不伤；以其常正③，收其租税，则民费而不病。民所苦者非此也，苦于厚作敛于百姓。是故圣王作为宫室，便于生，不以为观乐也；作为衣服带履，便于身，不以为辟怪也。故节于身，诲于民，是以天下之民可得而治，财用可得而足。当今之主，其为宫室则与此异矣，必厚作敛于百姓，暴夺民衣食之财，以为宫室台榭曲直之望、青黄刻镂之饰。为宫室若此，故左右皆法象之。是以其财不足以待凶饥，振④孤寡，故国贫而民难治也。君实欲天下之治而恶其乱也，当为宫室不可不节。

【注释】

①辟：同“避”。

②圉（yǔ）：抵御。

③正：通“征”。

④振：通“赈”，救济。

【译文】

墨子说：上古人们还不知道建造宫室的时候，依傍山陵找个洞穴住在里面。由于地下潮湿会侵害身体，因此圣王便开始建造宫室。建造宫室的原则是：“地基高度足够避免湿气，四周足够抵御风寒，屋顶足够承受霜雪雨露，墙壁的高度足够符合男女有别的礼节。”仅此而已。凡是劳民伤财却不能增加好处的事，不会做。照常规分派劳役，修筑城郭，百姓虽然劳累却不至于伤害身体；照常规征收租税，百姓虽然付出却不至于困苦。让百姓感到疾苦的并非这些，而是苦于对他们的横征暴敛。因此，圣王建造宫室，是为了方便生活，并不是观赏为乐；制作衣服鞋带，是为了身体舒适，并不是为了满足特殊的癖好。因此，自身节俭，教导百姓，于是天下百姓就可以得到治理，财用就可以充足。如今的君主，他们修建宫室却与此不同，必定会向百姓横征暴敛，强夺百姓的衣食财产，用来建造宫室中台榭曲折的景观、颜色鲜艳的雕刻装饰。这样建造宫室，那么身边的人就会效法，于是国家的财用就不能应付凶年饥馑，救济孤儿寡妇，因此国家贫困而百姓也无法治理。君王如果希望天下得到治理而厌恶混乱，建造宫室就不可以不节俭。

古之民未知为衣服时，衣皮带茭[①]，冬则不轻而温，夏则不轻而清。圣王以为不中人之情，故作诲妇人治丝麻，梱布绢，以为民衣。为衣服之法：“冬则练帛之中，足以为轻且暖；夏则絺绤[②]之中，足以为轻且清。”谨此则止。故圣人之为衣服、适身体，和肌肤而足矣，非荣耳目而观愚民也。当是之时，坚车良马不知贵也，刻镂文采不知喜也。何则？其所道之然。故民衣食之财，家足以待旱水凶饥者，何也？得其所以自养之情，而不感于外也。是以其民俭而易治，其君用财节而易赡也。府库实满，足以待不然，兵革不顿，士民不劳，足以征不服，故霸王之业可行于天下矣。当今之主，其为衣服，则与此异矣，冬则轻煗[③]，夏则轻清，皆已具矣。必厚作敛于百姓，暴夺民衣食之财，以为锦绣文采靡曼之衣，铸金以为钩，珠玉以为珮，女工作文采，男工作刻镂，以为身服。此非云益煗之情也，单[4]财劳力，毕归之于无用也。以此观之，其为衣服，非为身体，皆为观好。是以其民淫僻而难治，其君奢侈而难谏也。夫以奢侈之君御好淫僻之民，欲国无乱，不可得也。君实欲天下之治而恶其乱，当为衣服不可不节。

【注释】

①茭：绳索。

②絺绤（chī xì）：葛制的衣物。

③煗（nuǎn）：同“暖”。

④单：通“殚”，尽。

【译文】

上古人们不知道制作衣服的时候，穿兽皮腰里绑草绳，冬天既不轻便也不暖和，夏天既不轻便也不凉爽。圣王觉得这样不符合人的需要，于是便教导女人们整治丝麻、编织布匹，以它们来制作衣服。制作衣服的原则是：“冬天穿白色的帛做的衣服，足够轻便和暖和了；夏天用葛布做衣服，足够轻便和凉爽了。”仅此而已。因此，圣人制作衣服只要身体舒适肌肤暖和就足够了，并非为了华美而在百姓面前夸耀。在那个时代，坚车良马不以为贵重，雕刻文采不被人喜欢，什么原因呢？君主教导的结果。于是百姓的衣食之财，家家都足够防患水旱凶饥年景，什么原因呢？因为大家都懂得自给自足的道理，而不被外界所迷惑。因此百姓勤俭而容易治理，君王的财用节制而容易满足。国库充足，足够应付突然的变故，武器不损坏，百姓不劳顿，足够征讨不愿臣服者，于是霸业便可以在天下通行。如今的君主，制作衣服却与此不同。冬天的衣服轻便而暖和，夏天的衣服轻便而凉爽，这些都已具备了。然而，他们还要向百姓横征暴敛，强夺他们的衣食财产，用来制作绣满华丽文彩的衣服，用金做成衣服的带钩，用珠玉做成佩饰，女工制作花纹，男工制作雕刻图案，以供穿戴在身上。这并非是为了暖和，耗费财产民力，全都是为了不实用的事情。由此看来，他们制作衣服，不是为了身体舒适，而是为了好看。因此，百姓邪恶而难以治理，君王奢侈而难以纳谏。以奢侈的君王统治邪恶的百姓，想要国家不乱，是不可能的。君王如果真的希望天下太平而厌恶混乱，那么制作衣服就不可以不节俭。

古之民未知为饮食时，素食而分处，故圣人作，诲男耕稼树艺，以为民食。其为食也，足以增气充虚，强体适腹而已矣。故其用财节，其自养俭，民富国治。今则不然，厚作敛于百姓，以为美食刍豢，蒸炙鱼鳖，大国累百器，小国累十器，前方丈，目不能遍视，手不能遍操，口不能遍味。冬则冻冰，夏则饰饐[1]。人君为饮食如此，故左右象之，是以富贵者奢侈，孤寡者冻馁，虽欲无乱，不可得也。君实欲天下治而恶其乱，当为食饮不可不节。

【注释】

①饰饐（yì）：指食物腐烂变臭。饰，当为"餕"的误字。

【译文】

上古人们还不知道自制饮食的时候，为了寻找食物而分散居住，于是圣人出现，教导男子耕稼栽种的技艺，用作百姓的食物。他们制作食物，只是为了补气益虚、强身果腹。所以他们的财用节省，生活俭朴，于是百姓富足国家安定。现在却不同，君王向百姓横征暴敛，用来烹饪美味的牛羊，蒸烤可口的鱼鳖，大国君王饭桌上有上百种菜，小国君王也有数十种，能摆到前面一丈远的地方，甚至眼睛都不能全部看到，手也不能全部夹到，嘴巴也不能全部尝到。冬天冻成冰，夏天会全部腐烂。君王的饮食如此，左右大臣也都纷纷效法，于是富贵之人奢侈，孤寡之人受冻挨饿，即使不希望国家混乱，也不可能了。君王如果真希望天下太平而厌恶混乱，在饮食上就不可以不节省。

古之民未知为舟车时，重任不移，远道不至，故圣王作为舟车，以便民之事。其为舟车也，全固轻利，可以任重致远，其为用财少，而为利多，是以民乐而利之。法令不急而行，民不劳而上足用，故民归之。当今之主，其为舟车与此异矣。全固轻利皆已具，必厚作敛于百姓，以饰舟车，饰车以文采，饰舟以刻镂。女子废其纺织而修文采，故民寒；男子离其耕稼而修刻镂，故民饥。人君为舟车若此，故左右象之，是以其民饥寒并至，故为奸衺①。奸衺多则刑罚深，刑罚深则国乱。君实欲天下之治而恶其乱，当为舟车不可不节。

【注释】

①衺（xié）：邪恶。

【译文】

上古人们还不知道制造车船时，重物搬不动，远路去不了，于是圣王制造了车船，用来便利百姓运输。他们制作车船，只要求坚固轻便，可以载重物行远路，花费的财用少，而带来的利益大，所以百姓乐于使用。有了车船后，法令不用催促便可行使，百姓不用劳苦便能财用充足，于是百姓就愿意归顺。如今的君主，制造车船则与此不同。坚固轻利已经达到了，还要向百姓横征暴敛，用来装饰车船，在车身上画花纹，在船身上雕刻图案。女人荒废了纺织而去描绘花纹，于是百姓受冻；男子脱离了耕种而去雕刻图案，于是百姓挨饿。君王制造这样的车船，左右大臣也跟着效仿，于是百姓饥寒交迫，只好去做奸邪之事。奸邪之事一多则刑罚就会繁重，刑罚一重国家就会混乱了。君王如果真的希望天下太平而厌恶混乱，在制造车船时就不可以不节省。

凡回于天地之间，包于四海之内，天壤之情，阴阳之和，莫不有也，虽至圣不能更也。何以知其然？圣人有传，天地也，则曰上下；四时也，则曰阴阳；人情也，则曰男女；禽兽也，则曰牡牝雄雌也。真天壤之情，虽有先王不能更也。虽上世至圣，必蓄私不以伤行，故民无怨；宫无拘女，故天下无寡夫。内无拘女，外无寡夫，故天下之民众。当今之君，其蓄私也，大国拘女累千，小国累百，是以天下之男多寡无妻，女多拘无夫，男女失时，故民少。君实欲民之众而恶其寡，当蓄私不可不节。

凡此五者，圣人之所俭节也，小人之所淫佚也。俭节则昌，淫佚则亡，此五者不可不节。夫妇节而天地和，风雨节而五谷孰①，衣服节而肌肤和。

【注释】

①孰：通“熟”，成熟。

【译文】

举凡活动于天地之间，包含在四海之内的万物，天地的禀性，阴阳的调和，一切都是已经确定的，即使至圣也不能变更。如何知道是这样的呢？圣人之书记载，天地以上下区分，四时以阴阳区分，人类以男女区分，禽兽以牝牡雌雄区分。这是真正的天地禀性，即使先古圣王也不能变更。作为上古圣王，即使蓄养侍妾也不伤害品行，所以百姓没有怨言；王宫之中没有幽禁的女子，所以天下就没有孤独的男子。宫内不幽禁女子，外面没有孤独的男子，于是天下的人口众多。如今的君王蓄养侍妾，大国君王幽禁女子数千，小国国君也有数百，所以天下男子没有妻子的人很多，女子多被幽禁在深宫而没有丈夫。男女错过婚嫁时机，所以人口减少。君王如果想要国家人口增多而厌恶减少，蓄养侍妾就不可以不节制。

以上所说五种情况，圣人注重节俭而小人奢侈放纵。节俭的就昌盛，放纵的就灭亡，这五个方面不可以不节制。夫妻之事有节制天地阴阳就调和，风调雨顺五谷就丰收，制作衣服节俭，皮肤就会感到舒适。

三辩

【题解】

本篇反映了墨子“非乐”的思想，他认为音乐对治理天下无益。文中通过墨子与程繁对音乐的讨论，强调圣人治理天下重在事功，反对追求音乐享受，并且认为音乐越是繁复，治理天下的功绩就越少。这种态度与其“节用”思想是一致的，反映了他作为小手工业者代表对文化娱乐的抵触。

程繁问于子墨子曰：“夫子曰：‘圣王不为乐。’昔诸侯倦于听治，息于钟鼓之乐；士大夫倦于听治，息于竽瑟之乐；农夫春耕夏耘，秋敛冬藏，息于聆缶[①]之乐。今夫子曰：‘圣王不为乐。’此譬之犹马驾而不税[②]，弓张而不弛，无乃非有血气者之所不能至邪？”

【注释】

①聆缶：聆，当为“瓴”，容器，形如瓶；缶，瓦制打击乐器。

②税：通“脱”，马脱缰绳。

【译文】

程繁问墨子道：“先生您说过：‘圣王不能有音乐。’但以前诸侯处理国事劳累了，便听钟鼓之乐来休息；士大夫处理政务劳累了，就通过听竽瑟之乐来休息；农夫春种夏耘，秋收冬藏，也要通过敲打瓦盆，演奏土乐来休息。如今先生说：'圣王不能有音乐。'这就如同给马套上车之后便不再卸下，将弓拉开之后便不再松弛，这恐怕不是血肉之躯能够做到的吧？”

子墨子曰：“昔者尧舜有茅茨[①]者，且以为礼，且以为乐；汤放桀于大水[②]，环天下自立以为王，事成功立，无大后患，因先王之乐，又自作乐，命曰《护》，又修《九招》；武王胜殷杀纣，环天下自立以为王，事成功立，无大后患，因先王之乐，又自作乐，命曰《象》；周成王因先王之乐，又自作乐，命曰《驺虞》。周成王之治天下也，不若武王；武王之治天下也，不若成汤；成汤之治天下也，不若尧舜。故其乐逾繁者，其治逾寡。自此观之，乐非所以治天下也。”

【译文】

①茅茨：应为“第期”，尧舜时代制作礼乐的人。

②大水：地名，位于现在的河南巩义市东。

【译文】

墨子说：“以前尧舜时有一个叫第期的人，他制定了礼仪，演奏了礼乐；后来商汤把夏桀流放到大水，一统天下，自立为王，事成功立，没有严重的后患，于是便承袭先王的礼乐，而又自己创作新乐，定名为《护》，并且修订了古乐《九招》；周武王战胜殷朝杀死纣王，一统天下，自立为王，没有了严重的后患，于是承袭先王的音乐，并且自己创作新乐，定名为《象》；周成王承袭了先王的音乐，又自己创作了新乐，定名为《驺虞》。周成王治理天下，比不上武王；周武王治理天下，比不上成汤；成汤治理天下，比不上尧舜。所以，音乐越是繁杂，君王的政绩也就越少。由此看来，音乐是不能用来治理天下的。”

程繁曰："子曰：'圣王无乐。'此亦乐已，若之何其谓圣王无乐也？"子墨子曰："圣王之命也，多寡之。食之利也，以知饥而食之者智也，因[1]为无智矣。今圣有乐而少，此亦无也。"

【注释】

①因：当作"固"。

【译文】

程繁又说道："先生您说：'圣王没有音乐。'但前面所说就是音乐，怎能说圣王没有音乐呢？"墨子说："圣王的法则，过度了就要减损它。吃东西是有好处的，但如果把饿了就吃当作智慧，那么也就无所谓智慧了。现在圣王虽有音乐但很少，这也就等同于没有音乐了。"

尚贤上

【题解】

本篇主要探讨选用人才与政治的关系。墨子认为，尊重贤才对于治国安邦至关重要，主张君王应当打破阶层限制，从社会各阶层之中选用有真才实学的人，给他们官职和权力，同时将那些在其位不谋其政的贵族老爷统统撤职。可以说，这种选拔人才的观点在当时是非常先进的，对当时广大平民阶级争取政治权力的斗争有着现实意义。

子墨子言曰：今者王公大人为政于国家者，皆欲国家之富，人民之众，刑政之治。然而不得富而得贫，不得众而得寡，不得治而得乱，则是本失其所欲，得其所恶。是其故何也？子墨子言曰：是在王公大人为政于国家者，不能以尚贤事能为政也。是故国有贤良之士众，则国家之治厚；贤良之士寡，则国家之治薄。故大人之务，将在于众贤而已。

【译文】

墨子说：如今那些治理国家的王公大臣，全都希望国家富强，人口众多，刑法严明。然而，事实上国家不仅没有富强却变得贫困，人口不仅没有增加反而减少，法治不仅没有严明反而混乱，于是失去所希望得到的，却得到自己所厌恶的。这是什么原因呢？墨子说：这是由于治理国家的王公大臣们，不能将尊贤使能作为政治措施。因此，国家如果贤良之士多，那么国家的统治基础就坚实；如果贤良之士少，那么国家的统治基础就薄弱。所以，王公大臣的主要任务，就是尽量让贤人增多。

曰：然则众贤之术将奈何哉？子墨子言曰：譬若欲众其国之善射御①之士者，必将富之、贵之、敬之、誉之，然后国之善射御之士，将可得而众也。况又有贤良之士厚乎德行，辩乎言谈，博乎道术者乎！此固国家之珍，而社稷之佐也。亦必且富之、贵之、敬之、誉之，然后国之良士，亦将可得而众也。

【注释】

①射御：射箭，驾车。

【译文】

有人问：那么使贤人增多的方法又是什么呢？墨子说：比如要使一个国家善于射箭驾车的人增多，必须让这些人富裕、显贵，给他尊敬、荣誉，这样一来国家善于射箭驾车的人就会增多。何况那些贤良的人德行醇厚，善于口才，学识广博呢！他们确实是一个国家的珍宝、社稷的栋梁。因此，也必须使他们富裕、显贵，给他尊重、荣誉，这样一来国家的良士也就会增多了。

是故古者圣王之为政也，言曰：不义不富，不义不贵，不义不亲，不义不近。是以国之富贵人闻之，皆退而谋曰：始我所恃者，富贵也，今上举义不辟贫贱，然则我不可不为义。亲者闻之，亦退而谋曰：始我所恃者亲也，今上举义不辟疏，然则我不可不为义。近者闻之，亦退而谋曰：始我所恃者近也，今上举义不辟远，然则我不可不为义。远者闻之，亦退而谋曰：我始以远为无恃，今上举义不辟远，然则我不可不为义。逮至远鄙郊外之臣、门庭庶子①、国中之众、四鄙之萌人②闻之，皆竞为义。是其故何也？曰：上之所以使下者，一物也；下之所以事上者，一术③也。譬之富者有高墙深宫，墙立既谨，上为凿一门，有盗人入，阖其自入而求之，盗其无自出。是其故何也？则上得要也。

【注释】

①庶子：诸侯同族与卿大夫之子。

②萌人：农民。萌，通“氓”。

③一术：一条道路。

【译文】

所以，上古圣王当政，都会说：不义之人不能富裕，不义之人不能显贵，不义之人不能亲信，不义之人不能接近。因此，国内富贵之人听说之后，退下来都会暗自思考：当初我所依靠的是富贵，现在君王推举仁义而不嫌弃贫贱，所以我不可不做仁义之事。亲信之人听说了，退回来也暗自琢磨：当初我倚仗的是君王的亲信，现在君王推举仁义而不嫌弃疏远，所以我不可不做仁义的事。君王的身边的人听到了，退回来也暗自思虑：当初我所倚仗的是与君亲近，现在君王推举仁义而不嫌弃身处远地，所以我不可不做仁义之事。远离的君王的人听说了，退回来也暗自琢磨：当初我以为离君王太远而无所倚仗，现在君王推举仁义而不嫌弃远离之人，所以我不可不做仁义之事。一直到边疆郊外的臣子、宫廷内的侍卫、城内普通的百姓、四野的农民听到之后，也全都争相做仁义之事，这是什么原因呢？墨子答道：君上之所以能够支使臣下，靠的就是尚贤这一种方法；臣下用来侍奉君上，靠的就是做仁义之事这一条途径。这就如同富人有高墙深院，墙壁已经建好，只需要在上面凿开一个门，有盗贼闯入，关闭他进来的那个门来捉拿他，盗贼就无法出去了。这是什么原因呢？就在于君上抓住了要领。

故古者圣王之为政，列德而尚贤，虽在农与工肆之人，有能则举之，高予之爵，重予之禄，任之以事，断予之令。曰：爵位不高，则民弗敬；蓄禄不厚，则民不信；政令不断，则民不畏。举三者授之贤者，非为贤赐也，欲其事之成。故当是时，以德就列，以官服事，以劳殿[①]赏，量功而分禄。故官无常贵，而民无终贱，有能则举之，无能则下之，举公义，辟私怨，此若言之谓也。故古者尧举舜于服泽之阳，授之政，天下平；禹举益于阴方之中，授之政，九州成；汤举伊尹于庖厨之中，授之政，其谋得；文王举闳夭泰颠于罝罔[②]之中，授之政，西土服。故当是时，虽在于厚禄尊位之臣，莫不敬惧而施[③]；虽在农与工肆之人，莫不竞劝而尚意。

【注释】

①殿：同“奠”，定。

②罝（jū）罔：狩猎用具。

③施：上疑脱“不”字。不施，不行邪事。

【译文】

因此，上古圣王治国，任德尊贤，即使是农夫、工匠和商人，只要有能力就选拔他，给他高爵厚禄，委以官职，授予决断之权。说，爵位不高，百姓就不会敬重他；俸禄不厚，百姓就不信任他；委任的官职没有决断权，百姓就不畏惧他。将这三样东西给贤人，并非对他的赏赐，而是要把事办成。于是在那个时代，依据德行分封官职，依据官职授予权力，依据功劳确定封赏，依据功绩而分发俸禄。所以官员不会永远富贵，而百姓也不会永远贫贱，有能力就会得到推举，没有能力就会被罢免，出于公义，丢弃私怨，即是这个意思。所以，上古时代帝尧把舜从服泽之阳选拔出来，将政事交给他，于是天下大治；大禹把伯益从阴方之中选拔出来，将政事交给他，于是天下九州统一；商汤把伊尹从庖厨之中选拔出来，把政事交给他，于是他的治国谋略取得成功；周文王把闳夭、泰颠从狩猎者中选拔出来，把政事交给他，于是西方诸侯被降服。所以在那个时代，即使那些禄厚位尊的大臣，也没有一个不兢兢业业处理政事；即使那些农夫、工匠和商人，也没有一个不争相勉励而崇尚道德的。

故士者，所以为辅相承嗣也。故得士则谋不困，体不劳，名立而功成，美章①而恶不生，则由得士也。是故子墨子言曰：得意贤士不可不举，不得意贤士不可不举。尚欲祖述②尧舜禹汤之道，将不可以不尚贤。夫尚贤者，政之本也。

【注释】

①章：通“彰”。

②祖述：效仿古人。

【译文】

所以，贤士是君王用其辅佐来承继祖先遗业的。因此，君王得到贤士谋事就不会困难，身体也不会劳累，扬名建功，美好彰著而恶事不生，这都是因为得到了贤士。所以，墨子说：国家安定时不可不选用贤士，国家危险时不可不选用贤士。如果想要承继尧舜禹汤的圣王之道，就不可不推举贤才。推举贤才，是治国之本。

尚同上

【题解】

尚同即“上同”，意思是说，人们的意见应当与上级保持一致，从里长到乡长，再到国君、天子，最终与天保持一致。尚同是墨子针对当时国家混乱而提出的政治纲领。他认为，如果下级对上级绝对服从，以上位者的是非为是非，就不会思想混乱，由此统治者可以达到统一治理天下的目的。如果百姓不与上级一致，就要用五刑来处罚。

子墨子言曰：古者民始生，未有刑政之时，盖其语，人异义。是以一人则一义，二人则二义，十人则十义。其人兹①众，其所谓义者亦兹众。是以人是其义，以非人之义，故交相非也。是以内者父子兄弟作怨恶，离散不能相和合。天下之百姓，皆以水火毒药相亏害，至有余力不能以相劳，腐死②余财不以相分；隐匿良道不以相教，天下之乱，若禽兽然。

【注释】

①兹：通“滋”，益，更加。

②腐死：腐朽。

【译文】

墨子说：上古人类刚诞生，还没有刑法制度之时，用语言表达意见，因人而异。因此，一个人就是一种意见，两个人就是两种意见，十个人就是十种意见，人越多，其所谓的意见也就越多。于是大家都认为自己的意见正确，指责别人的意见，结果便相互攻击。因此，在家里父子兄弟之间互相怨恨，使家人离散不能和睦共处。全天下的百姓，全都用水、火、毒药互相伤害，以至于有余力的人不去帮助他人，有余财的人宁愿使其腐烂也不分给他人，有好的方法也隐藏起来不愿教给他人，于是天下大乱，如同禽兽一样。

夫明虖①天下之所以乱者，生于无政长。是故选天下之贤可者，立以为天子。天子立，以其力为未足，又选择天下之贤可者，置立之以为三公②。天子三公既以立，以天下为博大，远国异土之民，是非利害之辩，不可一二而明知，故画分万国，立诸侯国君。诸侯国君既已立，以其力为未足，又选择其国之贤可者，置立之以为正长③。

【注释】

①虖：通“乎”，于。

②三公：周代以太师、太傅、太保为三公。

③正长：即“政长”。正，通“政”。

【译文】

明白了天下混乱的原因，在于没有行政长官。因此，大家就选举天下贤能之人，拥立为天子。天子确立后，由于他的力量还不够强大，于是又选择天下贤能之人，立为三公。天子和三公已经确立，由于天下地域宽广，远国异邦的百姓，对于是非利害还不能分辨很清楚，因此又划分万国，设立诸侯国君。诸侯国君已经确立，由于他们的力量还不够强大，又在其国内选举贤能之人，立为行政长官。

正长既已具，天子发政于天下之百姓，言曰："闻善而不善，皆以告其上。上之所是必皆是之，所非必皆非之。上有过则规谏之，下有善则傍荐之。上同而不下比者，此上之所赏，而下之所誉也。意若闻善而不善，不以告其上，上之所是，弗能是，上之所非，弗能非，上有过弗规谏，下有善弗傍荐，下比不能上同者，此上之所罚，而百姓所毁也。"上以此为赏罚，甚明察以审信。

【译文】

行政长官已经设立，天子便向天下百姓发布政令，说道："无论你们听到好的还是坏的事，都要报告上级。上级认为是对所有人都必须认为对，上级认为是错所有人都必须认为错。上级有过失就要规谏，下面出现善行就要去查访并且举荐。与上级一致而不与下面勾结，这是上级赞赏，下面也会称誉的事情。如果听到善行或恶行，都不向上级报告，上级认为对的，不认为对，上级认为错的，也不认为错，上级有过错不能劝谏，下面有善行不能调查而举荐，与下面勾结而不与上级同步，这是上级要惩罚，且百姓要斥责的。"君上根据这些来制定赏罚制度，必然能够洞察下情并且审慎可靠。

是故里长者，里之仁人也。里长发政里之百姓，言曰："闻善而不善，必以告其乡长。乡长之所是，必皆是之；乡长之所非，必皆非之。去若不善言，学乡长之善言；去若不善行，学乡长之善行。"则乡何说以乱哉？察乡之所治者，何也？乡长唯能壹同乡之义，是以乡治也。

【译文】

因此，所谓里长，就是这一里之内的仁义之人。里长向辖区的百姓发布政令，说道："大家听到善行或恶行，都必须向乡长报告。乡长认为对的，所有人都要认为对；乡长认为错的，所有人都要认为错。丢掉你们不好的言论，学习乡长好的言论；丢掉你们不好的行为，学习乡长好的行为。”这样一来，乡里如何会混乱呢？考察政绩好的一乡，是什么原因呢？乡长能够统一全乡意见，乡就治理得好了。

乡长者，乡之仁人也。乡长发政乡之百姓，言曰：“闻善而不善者，必以告国君。国君之所是，必皆是之；国君之所非，必皆非之。去若不善言，学国君之善言；去若不善行，学国君之善行。”则国何说以乱哉？察国之所以治者，何也？国君唯能壹同国之义，是以国治也。

【译文】

所谓乡长，是一乡之中的仁义之人。乡长向乡里百姓发布政令，说道：“大家听到善行或恶行，都要把它报告给国君。国君认为对，大家全都必须认为对；国君认为错，大家全都必须认为错。丢掉你们不好的言论，学习国君好的言论；丢掉你们不好的行为，学习国君好的行为。”这样一来，国家怎么还会混乱呢？考察政绩好的国家，是什么原因呢？是由于国君能够统一全国人的意见，因此国家就治理得好。

国君者，国之仁人也。国君发政国之百姓，言曰：“闻善而不善，必以告天子。天子之所是，皆是之；天子之所非，皆非之。去若不善言，学天子之善言；去若不善行，学天子之善行。”则天下何说以乱哉？察天下之所以治者，何也？天子唯能壹同天下之义，是以天下治也。天下之百姓皆上同于天子，而不上同于天，则菑犹未去也。今若天飘风苦雨，溱溱而至者，此天之所以罚百姓之不上同于天者也。是故子墨子言曰：古者圣王为五刑①，请②以治其民。譬若丝缕之有纪③，罔罟之有纲④，所连收天下之百姓不尚同其上者也。

【注释】

①五刑：墨、劓、刵、宫、大辟五种刑罚。

②请：通"诚"。

③纪：丝头的总束。

④纲：渔网上的总绳。

【译文】

所谓国君，就是一国的仁义之人。国君向国中百姓发布政令，说道："你们听到善行或恶行，必须向天子报告。天子认为对，大家全都要认为对；天子认为错，大家全都要认为错。丢掉你们不好的言论，学习天子好的言论，丢掉你们不好的行为，学习天子好的行为。"这样一来，天下怎么会混乱呢？考察天下治理得好，是什么原因呢？由于天子能够统一天下人的意见，于是天下就治理得好。全天下的百姓都和天子保持一致，却不与天保持一致，那么灾祸还是不能免除的。如果天上刮大风下暴雨，频频而至，这正是上天对那些不与其保持一致者的惩罚。所以，墨子说：上古圣王设立五种刑法，用来治理百姓，就如同丝线有纪、渔网有纲，用来收紧那些不与上级意见保持一致的百姓。

兼爱中

【题解】

"兼相爱、交相利"是墨子思想的核心。墨子认为，天下之乱起于彼此不相爱，无论是国家、家庭、个人，大家都只爱自己，不爱别人，于是便失去了君臣之惠忠、父子之慈孝、兄弟之和睦，这样天下也就乱了。反之，如果大家都去像爱自己一样爱别人，那么天下就会富足昌盛。在文中，作者还列举了大禹王、周文王、周武王等上古先贤的例子，以证明兼相爱是可以做到的。

子墨子言曰：仁人之所以为事①者，必兴天下之利，除去天下之害，以此为事者也。然则天下之利何也？天下之害何也？子墨子言曰：今若国之与国之相攻，家之与家之相篡②，人之与人之相贼，君臣不惠忠，父子不慈孝，兄弟不和调，此则天下之害也。

【注释】

①事：这里指政事。

②相篡：互相篡夺。

【译文】

墨子说：仁义的人处理政事，一定是兴天下之利，除天下之害，把这作为做事的原则。那么，天下的利是什么？天下的害又是什么呢？墨子说道：就如同国家之间相互攻伐，家族之间相互篡夺，人与人相互戕害，君与臣之间没有了恩惠和忠诚，父与子之间没有了慈爱和孝敬，兄弟之间没有了融洽和协调，这些都是天下的祸害。

然则崇①此害亦何用生哉？以不相爱生邪？子墨子言：以不相爱生。今诸侯独知爱其国，不爱人之国，是以不惮举其国以攻人之国。今家主独知爱其家，而不爱人之家，是以不惮举其家以篡人之家。今人独知爱其身，不爱人之身，是以不惮举其身以贼人之身。是故诸侯不相爱则必野战，家主不相爱则必相篡，人与人不相爱则必相贼，君臣不相爱则不惠忠，父子不相爱则不慈孝，兄弟不相爱则不和调。天下之人皆不相爱，强必执[②]弱，富必侮贫，贵必敖[③]贱，诈必欺愚。凡天下祸篡怨恨，其所以起者，以不相爱生也，是以行[④]者非之。

【注释】

①崇：为“察”字之误。

②执：控制。

③敖：通“傲”。

④行：为“仁”字之误。

【译文】

那么，这些公害又是如何产生的呢？难道是由于不相爱吗？墨子说：确实是因为不相爱产生的。当今的诸侯们只知爱自己国家，不知爱别人的国家，于是以举国之力攻打别人的国家而不顾虑。如今家族族长只知爱本族，不知爱别的家族，于是发动本族的力量去篡夺别的家族而没有顾虑。如今的人只知爱自己，而不知爱别人，于是运用全身力量去戕害别人而没有顾虑。所以，诸侯之间不相爱就必定会发生战争，家族之间不相爱就必定会相互篡夺，人与人之间不相爱就必定会相互戕害，君臣之间不相爱就必定没有恩惠与忠诚，父子之间不相爱就必定没有慈爱和孝敬，兄弟之间不相爱就必定没有和谐与融洽。如果天下所有的人都不相爱，那么强者就必定会控制弱者，富人就必定会欺侮穷人，贵族就必定会鄙视平民，奸诈的人就必会欺骗愚笨的人。凡是天下祸乱仇恨，其所产生的根源，都是由于不相爱，所以仁义之人认为它是不对的。

既以[①]非之，何以易之？子墨子言曰：以兼相爱、交相利之法易之。然则兼相爱、交相利之法将奈何哉？子墨子言：视人之国若视其国，视人之家若视其家，视人之身若视其身。是故诸侯相爱则不野战，家主相爱则不相篡，人与人相爱则不相贼，君臣相爱则惠忠，父子相爱则慈孝，兄弟相爱则和调。天下之人皆相爱，强不执弱，众不劫②寡，富不侮贫，贵不敖贱，诈不欺愚。凡天下祸篡怨恨可使毋起者，以相爱生也，是以仁者誉之。

【注释】

①以：通“已”。

②劫：强迫。

【译文】

既然它是错的，有什么方法可以改变呢？墨子说：用兼相爱和交相利的方法改变它。那么，兼相爱、交相利的方法应该怎样做呢？墨子说：把别人的国家当作自己的国家，把别人的家族当作自己的家族，把别人身体当作自己的身体。于是，诸侯间相爱就不会发生战争，家族间相爱就不会相互篡夺，人与人相爱就不会相互戕害，君臣间相爱就会恩惠和忠诚，父子间相爱就会慈爱和孝敬，兄弟间相爱就会和睦融洽。一旦全天下之人全都相爱，那么强者就不会控制弱者，人多的就不会强迫人少的，富人就不会欺侮穷人，贵族就不会鄙视平民，奸诈的人就不会欺骗愚笨的人。凡天下的祸乱仇恨都能够使其熄灭，就是因为相爱的缘故，所以仁义之人赞美它。

然而今天下之士君子曰：“然，乃若①兼则善矣。虽然，天下之难物于故②也。”子墨子言曰：天下之士君子，特不识其利，辩③其故也。今若夫攻城野战，杀身为名，此天下百姓之所皆难也，苟君说④之，则士众能为之。况于兼相爱、交相利，则与此异。夫爱人者，人必从而爱之；利人者，人必从而利之；恶人者，人必从而恶之；害人者，人必从而害之。此何难之有？特上弗以为政、士不以为行故也。

【注释】

①乃若：发语词，没有实际意义。

②于故：迂远难行之事。于，“迂”的假借字。

③辩：通“辨”，下同。

④说：通“悦”。

【译文】

然而，如今天下的士君子们说：“没错！兼相爱固然是好的。即便如此，它也是一件普天之下难以办到的事。”墨子说：天下的士君子们，只是大家不能明白它的好处，明辨它的道理罢了。如今那些攻城战争，都是以杀身而成名，这点来讲老百姓们也都觉得难于做到，但只要君王喜欢，人们就能做到。更何况兼相爱、交相利与这个比，还是完全不同的。爱别人，别人必定也会爱你；帮助别人，别人也必定会帮助你；厌恶别人，别人也同样会厌恶你；伤害别人，别人必定会伤害你。这有什么困难的？只不过是那些居上位者不用它行之于政，士人们不把它付诸行动罢了。

昔者晋文公好士之恶衣[①]，故文公之臣皆牂羊[②]之裘，韦[③]以带剑，练帛之冠，入以见于君，出以践于朝。是其故何也？君说之，故臣为之也。昔者楚灵王好士细要，故灵王之臣皆以一饭为节，胁息然后带，扶墙然后起，比期年，朝有黧黑之色。是其故何也？君说之，故臣能之也。昔越王勾践好士之勇，教驯其臣，和合之焚舟失火，试其士曰：“越国之宝尽在此！”越王亲自鼓其士而进之。士闻鼓音，破碎[④]乱行，蹈火而死者左右百人有余。越王击金而退之。是故子墨子言曰：乃若夫少食恶衣，杀身而为名，此天下百姓之所皆难也。若苟君说之，则众能为之。况兼相爱、交相利，与此异矣。夫爱人者，人亦从而爱之；利人者，人亦从而利之；恶人者，人亦从而恶之；害人者，人亦从而害之。此何难之有焉，特上不以为政，而士不以为行故也。

【注释】

①恶衣：破旧的衣服。

②牂（zāng）羊：母羊。

③韦：熟牛皮。

④碎：为“阵”之误。

【译文】

当初晋文公喜欢士人穿着简陋，于是文公的臣子们全都穿着用母羊皮缝的皮衣，腰里围着牛皮带来挂剑，头上戴着熟绢做的帽子，入内宫参见君王，侍立于朝堂。这是什么缘故？君王喜欢，所以臣子就会去做。当初楚灵王喜欢士人细腰，于是灵王的臣子们每天只吃一顿饭来节食，屏着气系紧腰带，扶着站起来，这样过了一年，朝臣们都面呈黑色。这是什么原因？君主喜欢，于是臣子们就会这样做。当初越王勾践喜爱将士勇猛，为了训练他的臣子，便把他们集合起来放火烧船，测试将士们道：“我们越国所有的财宝都在这个船里！”越王亲自击鼓让将士们前进。将士听到鼓声，争先恐后向前冲，冲进火里被烧死的达一百多人。越王鸣金收兵他们才退下。所以，墨子说：诸如少食陋衣，杀身成名，这些都是天下百姓难做到之事。如果君王喜欢，那么众人就能做到。况且兼相爱、交相利，与之相比不一样。爱别人，别人必定也会爱你；帮助别人，别人也必定会帮助你；厌恶别人，别人也同样会厌恶你；戕害别人，别人必定会伤害你。这有什么好困难的？不过是那些居上位者不用它行之于政，士人们不把它付诸行动罢了。

然而今天下之士君子曰："然，乃若兼则善矣。虽然，不可行之物①也，譬若挈太山越河济也。"子墨子言：是非其譬也。夫挈太山而越河济，可谓毕劫有力矣，自古及今未有能行之者也。况乎兼相爱、交相利，则与此异，古者圣王行之。何以知其然？古者禹治天下，西为西河、渔窦，以泄渠、孙、皇之水；北为防原泒，注后②之邸、嘑池之窦，洒为底③柱，凿为龙门，以利燕、代、胡、貉与西河之民；东方漏之④陆，防孟诸之泽，洒为九浍，以楗东土之水，以利冀州之民；南为江、汉、淮、汝，东流之，注五湖之处，以利荆、楚、干、越与南夷之民。此言禹之事，吾今行兼矣。昔者文王之治西土，若日若月，乍光于四方，于西土，不为大国侮小国，不为众庶侮鳏寡，不为暴势夺穑人黍、稷、狗、彘。天屑临文王慈，是以老而无子者，有所得终其寿；连⑤独无兄弟者，有所杂于生人之间；少失其父母者，有所放依而长。此文王之事，则吾今行兼矣。昔者武王将事泰山隧⑥，《传》曰："泰山，有道曾孙周王有事，大事既获，仁人尚作，以祗商夏，蛮夷丑貉。虽有周亲，不若仁人。万方有罪，维予一人。"此言武王之事，吾今行兼矣。

是故子墨子言曰：今天下之君子，忠实欲天下之富而恶其贫，欲天下之治而恶其乱，当兼相爱、交相利。此圣王之法，天下之治道也，不可不务为也。

【注释】

①物：事。

②后：为"召"之误。

③底：为"厎"之误。

④之：为"大"之误。

⑤连：为"矜"之假借字。

⑥隧：疑为"遂"字之误。

【译文】

然而如今天下的士君子们都说："没错！兼相爱固然是好的。即便如此，它也是一件不可能实现的事，这就好像举着泰山跨过黄河济水一般。"墨子说：这个比喻不恰当。举起泰山跨越黄河济水，可说是极其有力了，然而从古至今却没有一个人能做到。兼相爱、交相利就不一样了，上古那些圣王就曾经做到过。怎么知道是这样的呢？上古大禹王治理天下，在西边疏通筑建了西河、渔窦，以排泄渠、孙、皇三河之水；在北边疏通筑建了原水和泒水的堤坝，使它们注入召之邸和滹沱河，让黄河在砥柱山分流，凿开龙门以利于燕、代、胡、貉与西河地区的百姓。在东边疏导大陆的积水，修筑孟诸泽的堤坝，将水分流进九条河，以此限制洪水的泛滥，以利于冀州的百姓。在南边疏通长江、汉水、淮河、汝水，使它们东流入海，将其灌注五湖，以利于荆楚、吴越和南夷的百姓。这些就是大禹王的事，我们现在应该实行这种"兼相爱"了。当初周文王治理西岐，如同日月一般，射出的光辉照耀四方，被及西岐。不倚仗是大国便去欺侮小国，不倚仗人多便去欺侮鳏寡孤独，不倚仗强暴势力便去抢夺农夫的粮食和牲畜。上天注意到文王的慈爱，所以年老无子的，能够得到寿终；孤苦无兄弟的，能够安聚于平常人中间，幼小无父母的，有所依傍而长大。这说的是周文王的事，我们现在应当实行这种"兼相爱"了。当初武王祭祀泰山，在祝辞中说："泰山！我在这里行此祭祀，如今伐纣大业已获成功，仁人志士起而相助，用来拯救商夏的遗民以及四方少数民族。即使是至亲，也不如有仁义之人。四方之人如有罪过，全部由我一个人来承担。"这里说的是周武王的事，我们现在应当实行这种"兼相爱"了。

所以，墨子说：当今普天之下的君子们，如果内心确实渴望天下富足而厌恶贫穷，渴望天下安泰而厌恶混乱，那么大家就应当兼相爱、交相利。这是圣王的法则，天下的治道，不可不努力去做啊。

非攻上

【题解】

所谓“非攻”，就是反对攻打别国，反对侵略战争。墨子生活在战国初期，那时诸侯间的相互攻伐已经很严重了。针对这种情况，墨子以“非攻”为论点，提出了自己的反战理论。在墨子看来，战争是天下的“巨害”，无论对战胜国还是战败国，都会造成巨大损害，因之既不合于“圣王之道”，也不合于“国家百姓之利”。

今有一人，入人园圃，窃其桃李，众闻则非[①]之，上为政者得则罚之。此何也？以亏人自利也。至攘[②]人犬豕鸡豚者，其不义又甚入人园圃窃桃李。是何故也？以亏人愈多，其不仁兹甚，罪益厚。至入人栏厩，取人马牛者，其不仁义又甚攘人犬豕鸡豚。此何故也？以其亏人愈多。苟亏人愈多，其不仁兹甚，罪益厚。至杀不辜人也，扡[③]其衣裘，取戈剑者，其不义又甚入人栏厩取人马牛。此何故也？以其亏人愈多。苟亏人愈多，其不仁兹甚矣，罪益厚。当此，天下之君子皆知而非之，谓之不义。今至大为攻国，则弗知非，从而誉之，谓之义。此可谓知义与不义之别乎？

【注释】

①非：责难。

②攘：夺取。

③扡：同“拖”。

【译文】

现在有个人，进别人的园子偷桃盗李，大家听说后就会责难他，上面执政者抓住就会惩罚他。这是什么道理呢？因为他干了损人利己的事。至于偷盗别人的鸡狗猪豚，这种不义比进园子偷别人的桃李更大。这是什么道理呢？因为给别人造成的损失越大，他的不仁义也就更加突出，罪责也更加深重。至于进入别人的栏厩之中，偷盗别人的牛马，他的不仁义又比偷盗鸡狗猪豚的人更甚。这是什么道理呢？因为他给别人造成的损失更大。一旦造成损失越大，他的不仁义也更突出，罪责也就更加深重。至于杀害无辜之人，剥下他的衣服，抢走他的剑，这种不义又比进入栏厩盗取别人牛马更大。这是什么道理呢？因为他给人造成的损失更大。一旦造成的损失越大，那么他的不仁义也就更加突出，罪过也更加深重。对这些事，普天下的君子们都知道去指责，称其为不义。如今最大的不义莫过于攻伐别人的国家，然而大家却不仅不去指责，反而去赞美他，称其为义。这难道是明白义与不义的区别吗？

杀一人谓之不义，必有一死罪矣。若以此说往，杀十人十重[1]不义，必有十死罪矣；杀百人百重不义，必有百死罪矣。当此，天下之君子皆知而非之，谓之不义。今至大为不义攻国，则弗知非，从而誉之，谓之义，情[2]不知其不义也，故书其言以遗后世。若知其不义也，夫奚说书其不义以遗后世哉？

【注释】

①十重：十倍。

②情：通“诚”，的确。

【译文】

杀掉一人称之为不义，必定会被判处一项死罪。如果以此类推，那么杀掉十人就有十倍的不义，必然会被判处十项死罪；杀掉一百人便有百倍的不义，必然会被判处一百项死罪。对这些罪行，普天下的君子们都知道责难它，称其为不义。如今最大的不义莫过于攻伐别人的国家，却不知道指责它的错误，反而称赞它，说它是义，这些人的确不知道那是不义的，所以才记载那些言论遗留给后世。假如他们知道那是不义的，怎么会记载这些不义之事遗留给后世呢？

今有人于此，少见黑曰黑，多见黑曰白，则以此人不知白黑之辩[①]矣；少尝苦曰苦，多尝苦曰甘，则必以此人为不知甘苦之辩矣。今小为非，则知而非之；大为非攻国，则不知非，从而誉之，谓之义。此可谓知义与不义之辩乎？是以知天下之君子也，辩义与不义之乱[②]也！

【注释】

①辩：通“辨”。

②乱：混乱。

【译文】

假如有这样一个人，看见一点点黑就说是黑色，看见许多的黑却说是白色，那么我们就会认为这人不懂分辨黑与白；尝到一点点苦味就说是苦的，尝到很多的苦味却说是甜的，那么我们就会认为这人不懂分辨苦与甜。如今小错，大家知道他是错的而指责；像攻打别国这样的大错，却不知道指责他，反而跟着称赞，认为这是义举。这难道可以说懂得义与不义的区别吗？由此可知天下的君子，义与不义的观念已经相当混乱了。

节用上

【题解】

墨子认为，施政想让财富增加，节用是一个关键。他以古代圣人为例，说明宫室、衣服、饮食、舟车只要适用就够了，那些华而不实的东西要尽量省掉，这样就能给国家节省财富，让百姓不劳累。而当时的统治者，却在这些方面穷奢极欲，大量耗费民力财力，使人民生活陷于困境，于是国家的人口越来越少。

圣人为政一国，一国可倍①也；大之为政天下，天下可倍也。其倍之非外取地也，因其国家，去其无用之费，足以倍之。圣王为政，其发令兴事，使民用财也，无不加用而为者，是故用财不费，民德②不劳，其兴利多矣。

【注释】

①倍：财富增加一倍。

②德：通“得”。

【译文】

圣人施政于一国，这个国家的财富可成倍增长。大到施政于天下，则天下的财富可以成倍增长。这种财富的增长并非对外掠夺土地，而是因为国家省去了无用的消耗，这足以使财富加倍了。圣王施政，无论是发布命令，还是使用民力、财物，没有一件是不能增加利益的，因此使用财物不浪费，百姓不感到劳苦，于是产生的利益就多了。

其为衣裘何？以为冬以圉①寒，夏以圉暑。凡为衣裳之道，冬加温，夏加清者，芊䱉②不加者去之。其为宫室何？以为冬以圉风寒，夏以圉暑雨，有盗贼加固者，芊䱉不加者去之。其为甲盾五兵何？以为以圉寇乱盗贼。若有寇乱盗贼，有甲盾五兵者胜，无者不胜。是故圣人作为甲盾五兵。凡为甲盾五兵，加轻以利、坚而难折者，芊䱉不加者去之。其为舟车何？以为车以行陵陆，舟以行川谷，以通四方之利。凡为舟车之道，加轻以利者，芊䱉不加者去之。凡其为此物也，无不加用而为者，是故用财不费，民德不劳，其兴利多矣。有去大人之好聚珠玉、鸟兽、犬马，以益衣裳、宫室、甲盾、五兵、舟车之数，于数倍乎！

【注释】

①圉：通“御”，抵御，阻止。

②芊䱉：徒有华美。

【译文】

圣王做衣服是为什么呢？冬天用来御寒，夏天用来防暑。做衣服的原则，就是冬天增加温暖，夏天增加清凉，徒有华美无其他益处的就省掉。圣人造房子是为什么呢？冬天用来御风寒，夏天用来避暑防雨，有盗贼来了就加固它，徒有华表无其他益处的就省掉。圣王打造铠甲盾牌兵器是为什么呢？用来抵御外寇和盗贼。如果遭遇了外寇盗贼，拥有铠甲盾牌兵器才能胜利，没有的话就不能胜。所以圣人打造铠甲盾牌兵器。在打造铠甲盾牌兵器时，要增加它的轻便锋利和坚而难折，徒有华表没有其他益处就省掉。圣王造车造船是为什么呢？造车是用来在陆地上行走的，造船是用来在川谷中行走的，用它们来疏通四方。造车造船的原则，就是尽量增加轻快便利，徒有华美没有其他益处的就省掉。凡是圣王制造的这些东西，没有一件不是增加利益才去做的，所以财物用度不浪费，百姓不感到劳乏，他们产生的利益也就多了。在这个基础上，再去掉王公大人所爱好搜集的珠宝、鸟兽、狗马，用其来增加衣服、房屋、兵器、车船等的数量，足可以使其增加一倍。

若则不难，故孰为难倍？唯人为难倍。然人有可倍也。昔者圣王为法曰：“丈夫年二十，毋敢不处家；女子年十五，毋敢不事人。”此圣王之法也。圣王既没，于民①次②也。其欲蚤处家者，有所二十年处家；其欲晚处家者，有所四十年处家。以其蚤与其晚相践③，后圣王之法十年。若纯三年而字④，子生可以二三年矣。此不惟使民蚤处家，而可以倍与？且不然已！

【注释】

①民：为“昏”之误，通“婚”。

②次：通“恣”。

③践：当为“翦”，减的意思。

④字：生子。

【译文】

如果是这样其实并不难。那么，什么才是难以倍增的呢？唯独人是难以倍增的。然而，人其实也可以倍增。当初圣王制定法度，说：“男子年届二十，不能不成家；女子年届十五，不准不嫁人。”这就是圣王的法度。圣王去世之后，婚姻制度便被放开了，想早成家的，有时二十岁成家；想晚成家的，有的到四十岁才成家。拿早婚的与晚婚的相减，和圣王的法度相差了十年。如果以三年生一个孩子计算，就能多生两三个孩子了。这不正是让百姓早成家便能让人口倍增吗？然而，如今执政者不这样做了。

今天下为政者，其所以寡人之道多。其使民劳，其籍敛厚，民财不足，冻饿死者不可胜数也。且大人惟毋[1]兴师以攻伐邻国，久者终年，速者数月，男女久不相见，此所以寡人之道也。与居处不安、饮食不时、作疾病死者，有与侵就偯橐[2]、攻城野战死者，不可胜数。此不令为政者所以寡人之道数术而起与？圣人为政特无此。不[3]圣人为政，其所以众人之道亦数术而起与？故子墨子曰：去无用之费，圣王之道，天下之大利也。

【注释】

①惟毋：语气助词。

②侵就偯橐：当作“侵掠俘虏”。

③不：为“夫”字之误，发语词。

【译文】

如今天下的执政者，让人口减少的原因很多。他们让百姓劳累，横征暴敛，百姓财用不足，因冻饿而死的人不计其数。同时，诸侯兴师动众前去攻打邻国，时间长的一年，短的也要数月，夫妻久不相见，这便是人口减少的原因。除此之外，因为居住不安定，饮食不定时，以至于生病而死的，以及被掳掠俘虏、攻城野战而死的，简直不可胜数。这不就是不善施政之人使人口减少的缘故吗？圣人施政绝对不会这样，圣人施政，使人口增加的，不正是用了那些增加人口的政策吗？所以墨子说：去掉无用的消耗，是圣王之道，天下因此而获得极大利益。

节葬下

【题解】

节葬是节用的引申与发展，是墨子节约思想的重要组成部分。在墨子生活的年代，统治者耗费大量钱财于丧葬仪式，他对此提出了尖锐的批评。在墨子看来，厚葬久丧的弊病极大，它不仅浪费了社会财富，而且还使人们无法从事生产劳动，最终影响了人口的增长。因此，它不仅对社会有害，同时也不符合死者的利益和古代圣王的传统，所以必须废止。

子墨子言曰：仁者之为天下度①也，辟②之无以异乎孝子之为亲度也。今孝子之为亲度也，将奈何哉？曰：亲贫则从事乎富之，人民寡则从事乎众之，众乱则从事乎治之。当其于此也，亦有力不足、财不赡、智不智③，然后已矣。无敢舍余力，隐谋遗利，而不为亲为之者矣。若三务者，孝子之为亲度也，既若此矣。虽仁者之为天下度，亦犹此也。曰：天下贫则从事乎富之，人民寡则从事乎众之，众而乱则从事乎治之。当其于此，亦有力不足、财不赡、智不智，然后已矣。无敢舍余力，隐谋遗利，而不为天下为之者矣。若三务者，此仁者之为天下度也，既若此矣。

【注释】

①度：谋划，考虑。

②辟：通“譬”。

③智：通“知”。

【译文】

墨子说：仁义之人为天下考虑，就如同孝子为父母考虑一样。如今孝子是如何为父母考虑的呢？父母贫穷就设法让其富裕，人数少就设法使其增加，人多混乱就设法使他们得到管理。当他做这些的时候，也有力量不够、财用不足、智力不及的，这时才会停止。不敢保留余力，隐藏智谋和财用，而不为父母尽心谋划的。像这三件事，孝子为父母考虑，就是这样的。

其实仁义之人为天下考虑，也同此一样。也就是说：天下贫穷就设法使之富足，人口稀少就想法让它增多，人多混乱就设法使其得到治理。当他做这些事时，也有力量不够、财用不足、智力不及，这时才会停止。不敢保留余力、隐藏智谋和财用，而不为天下尽心谋划的。像这三件事，仁义之人为天下考虑，就是这样的。

今逮至昔者三代圣王既没①，天下失义。后世之君子，或以厚葬久丧以为仁也，义也，孝子之事也；或以厚葬久丧以为非仁义，非孝子之事也。曰：二子者，言则相非，行即相反，皆曰："吾上祖述尧舜禹汤文武之道者也。"而言即相非，行即相反，于此乎后世之君子皆疑惑乎二子者言也。若苟疑惑乎之二子者言，然则姑尝传②而为政乎国家万民而观之。计厚葬久丧，奚当此三利者？我意若使法其言，用其谋，厚葬久丧实可以富贫众寡、定危治乱乎，此仁也，义也，孝子之事也，为人谋者不可不劝也。仁者将兴之天下，谁贾而使民誉之，终勿废也。意亦使法其言，用其谋，厚葬久丧实不可以富贫众寡、定危理乱乎，此非仁非义，非孝子之事也，为人谋者不可不沮也。仁者将求除之天下，相废而使人非之，终身勿为。且故兴天下之利，除天下之害，令国家百姓之不治也，自古及今未尝之有也。

【注释】

①没：通"殁"，去世。

②传：为"博"字之误，铺展。

【译文】

回顾从上古三代圣王去世到今天，天下已经丧失了道义。这些后世的君子们，有的认为厚葬久丧是仁义之举，是孝子应当做的；有的认为厚葬久丧不仁不义，并非孝子应当做的。这两种人，言论相背，行为相反，却都说："我所说的是尧舜禹汤文王武王的大道。"但是其言论相背，行为相反，于是后世君子们对这两种说法产生了疑惑。如果对两种说法感到疑惑，那么我们先试着将其主张用于治理国家百姓，来加以考察。以此来衡量厚葬久丧在哪一方面符合上面所述的三种利益呢？我认为，如果仿照他们的言论，采用他们的计谋，而厚葬久丧的确可以使富贫众寡、定危治乱，那这就是仁义的，是孝子应当做的，替人谋划者不得不勉力去做。仁义之人将使其在天下得到推广，设置相应制度使百姓赞誉它，永远不废弃。假如仿照其言论，采用其计谋，而厚葬久丧的确不能富贫众寡、定危理乱，那它就是不仁不义的，并非孝子应当做的，替人谋划者不得不阻止它流行。仁义之人也将谋求使其在天下消除，废弃它并让人非难它，永远不去做。话说，增进天下的大利，除去天下的祸害，却反而使国家百姓得不到治理，这样的事从古至今从来没有过。

何以知其然也？今天下之士君子，将犹多皆疑惑厚葬久丧之为中是非利害也。故子墨子言曰：然则姑尝稽之，今虽[1]毋法执厚葬久丧者言，以为事乎国家。此存乎王公大人有丧者，曰棺椁必重，葬埋必厚，衣衾必多，文绣必繁，丘陇必巨；存乎匹夫贱人死者，殆竭家室；存乎诸侯死者，虚车府，然后金玉珠玑比乎身，纶组节约，车马藏乎圹，又必多为屋[2]幕、鼎鼓、几梴[3]、壶滥、戈剑、羽旄、齿革，寝而埋之，满意[4]，若送[5]从。曰：天子杀殉，众者数百，寡者数十；将军大夫杀殉，众者数十，寡者数人。

【注释】

①虽：同"唯"。

②屋：通"幄"。

③梴：同“筵”。

④满意：与“懑抑”同音义通。

⑤送：为“殉”字之误。

【译文】

凭什么知道是这样的呢？如今天下的士君子，仍然有非常多的人对于厚葬久丧的是非利害感到疑惑。所以墨子说：既如此，姑且来试着考察一下，将厚葬久丧这种言论应用在治理国家当中。这个情况存在于有丧事的王公大臣家中，棺椁一定要重，陪葬必须丰厚，衣服一定要多，棺材上的文绣必须繁复，坟丘垒得必须高大。这个事实如果在匹夫贱民家中实行，那么必定要竭尽家产。如果在诸侯身上实行，也得使府库贮藏的财物空虚，然后才能将金玉珠宝装饰尸身，用丝絮组带束住尸体，并将车马埋藏在墓穴之中，还一定要多多制造帷幔、钟鼎、鼓、几筵、壶盆、戈剑、羽旄、象牙皮革等，放置于死者寝宫内然后埋掉，这才心满意足。听说，天子死后所杀的殉葬者，多的达数百，少的也有数十；将军大夫死后所杀的殉葬者，多的达数十，少的也有数人。

处丧之法将奈何哉？曰：哭泣不秩[①]，声翁[②]，缞绖[③]垂涕，处倚庐，寝苫枕块，又相率强不食而为饥，薄衣而为寒，使面目陷陬[④]，颜色黧黑，耳目不聪明，手足不劲强，不可用也。又曰：上士之操丧也，必扶而能起，杖而能行，以此共三年。若法若言，行若道，使王公大人行此，则必不能蚤朝；五官六府[⑤]，辟草木，实仓廪；使农夫行此，则必不能蚤出夜入，耕稼树艺；使百工行此，则必不能修舟车为器皿矣；使妇人行此，则必不能夙兴夜寐，纺绩织纴。细计厚葬，为多埋赋之财者也。计久丧，为久禁从事者也。财以成者，扶[⑥]而埋之，后得生者，而久禁之，以此求富，此譬犹禁耕而求获也，富之说无可得焉。

【注释】

①秩：为“迭”之假借字。

②声翁：收敛哭声不使放纵，即啜泣。

③缞（cuī）经：披麻戴孝。

④陬：即“皱”。

⑤五官六府：有遗漏，前当加“使士大夫行此，则必不能治”。

⑥扶：为“覆”之假借字。

【译文】

居丧守孝的做法又是怎样的呢？通常是这样：哭泣不分昼夜，直到声音哭哑，还要披麻戴孝默默垂泪，住在茅草屋里，睡在草垫子上枕着土块，还要争着不吃饭而任由自己挨饿，穿单薄衣服而任由自己寒冷，最后让自己面目干瘦，肤色黝黑，耳不聪目不明，手脚没劲，不能做事。又说：上等人守丧，必须搀扶着才能站起，拄着拐杖才能走路，像这样生活三年。如果遵行这种言论，实行这种方法，让王公大人们照这样做，则必定不能上早朝；让士大夫们照这样做，那么必定无法治理五官六府，开荒种地，充实仓库；让农夫们照此法实行，必定不能早出晚归，耕作种植；让工匠们照此而行，必定不能修船造车，制作器具；让妇女们照此而行，必定不能早起晚睡，纺纱织布。仔细计算厚葬这件事，实际上是在大量地埋掉财物；计算久丧这件事，实在是在长期地禁止人们做事。将创造的财富埋葬，让能够从事生产的人们长时间被禁锢，用这种方法追求财富，就如同禁止耕种却想要收获一样，富裕是不可能得到的。

是故求以富家，而既已不可矣，欲以众人民，意者可邪？

其说又不可矣。今唯无以厚葬久丧者为政，君死，丧之三年；父母死，丧之三年；妻与后子[1]死者，五[2]皆丧之三年；然后伯父叔父兄弟孽子其；族人五月；姑姊甥舅皆有月数。则毁瘠必有制矣，使面目陷陬，颜色黧黑，耳目不聪明，手足不劲强，不可用也。又曰：上士操丧也，必扶而能起，杖而能行，以此共三年。若法若言，行若道，苟其饥约又若此矣。是故百姓冬不仞[3]寒，夏不仞暑，作疾病死者，不可胜计也。此其为败男女之交多矣。以此求众，譬犹使人负剑而求其寿也。众之说无可得焉。

【注释】

①后子：长子。

②五：为“又”字之误。

③仞：为“忍”字的假借字。

【译文】

所以，用这种方法使国富家足，那是不可能的，那么使这种方法让人口增加，难道可以吗？仍然是不行的。假如让厚葬久丧的人治国，国君死了，守丧三年；父母死了，守丧三年，妻或长子死了，还都守丧三年；然后伯父、叔父、兄弟、庶子等死了，守丧一年；族人死了，守丧五个月；姑姑、姐姐、外甥、舅舅等死了，守丧也都要几个月。那么，丧期中的损伤身体也必定有制度了，即让面目干瘦，肤色黝黑，耳不聪目不明，手脚没劲，不能做事。又说：上等人守丧，必须搀扶才能站立，拄着拐杖才能走路，按这种方式生活三年。如果效法这种言论，实行这种方法，那么大家忍饥挨饿都要像这样。于是，百姓冬天受不住寒冷，夏天耐不住酷暑，生病而死去的人，不计其数。这种行为损害男女之间交往太厉害了。用这种方法增加人口，就如同使人趴在剑刃上却寻求长寿一样。人口增加是无从谈起的。

是故求以众人民，而既以不可矣，欲以治刑政，意者可乎？其说又不可矣。今唯无以厚葬久丧者为政，国家必贫，人民必寡，刑政必乱。若法若言，行若道，使为上者行此，则不能听治；使为下者行此，则不能从事。上不听治，刑政必乱；下不从事，衣食之财必不足。若苟不足，为人弟者求其兄而不得，不弟[1]弟必将怨其兄矣；为人子者求其亲而不得，不孝子必是怨其亲矣；为人臣者求之君而不得，不忠臣必且乱其上矣。是以僻淫邪行之民，出则无衣也，入则无食也，内续奚吾[2]，并为淫暴，而不可胜禁也，是故盗贼众而治者寡。夫众盗贼而寡治者，以此求治，譬犹使人三睘[3]而毋负己也，治之说无可得焉。

【注释】

①弟：通“悌”。

②内续奚吾：为“内积谖诟”之误。

③睘：通“还”。

【译文】

所以，用这个方法想要人口增多，已经是不可能的了，想要用它来治理刑事政务，难道是可以的吗？仍然是不可以的。如果用厚葬久丧的方法治理国家，那么国家一定会贫穷，人口一定会减少，刑法政治一定会混乱。如果遵循这种言论，实行这种方法，让居上位的人照此行事，那么他就不能听政治国；让下面的人照此而行，那么他就不能从事生产。居上位者不能听政治国，刑法政治就一定会混乱；下面百姓不从事生产，则衣食财资就一定不能丰足。如果衣食资财不丰足，弟弟向兄长求索不能得到，不恭敬的弟弟就一定会怨恨兄长；儿子向父母求索不能得到，不孝敬的儿子就一定会怨恨父母；臣子向君王求索不能得到，不忠诚的臣子就一定会叛乱君王。因此，品行恶劣的百姓，出门没有衣服穿，回家没有食物可吃，内心积聚耻辱，便会一起去做暴虐之事，以至于国家不能禁止，于是盗贼越来越多顺民越来越少。那些盗贼很少能被治理，用这种方法寻求太平治世，就如同多次遣送投奔自己的人却期望他不背叛自己一样，所以国家治理是无从谈起的。

是故求以治刑政，而既已不可矣，欲以禁止大国之攻小国也，意者可邪？其说又不可矣。是故昔者圣王既没，天下失义，诸侯力征。南有楚、越之王，而北有齐、晋之君，此皆砥砺其卒伍，以攻伐并兼为政于天下。是故凡大国之所以不攻小国者，积委多，城郭修，上下调和，是故大国不耆攻之；无积委，城郭不修，上下不调和，是故大国耆攻之。今唯无以厚葬久丧者为政，国家必贫，人民必寡，刑政必乱。若苟贫，是无以为积委也；若苟寡，是城郭沟渠者寡也；若苟乱，是出战不克，入守不固。

【译文】

所以，用厚葬久丧的方法治理刑法政治，已经是不可能的了，如果用它来禁止大国攻打小国，难道是可以的吗？仍然是不可以的。自从圣王离开人世，天下便丧失了道义，诸侯互相用武力征伐。南面有楚、越两国的君王，北面有齐、晋两国的君王，他们都磨炼自己的将士，用攻伐兼并的方法向天下发令施政。那些大国之所以不攻打小国，是由于小国储备多，城郭修建的坚固，上下齐心协力，所以大国不出兵攻打它；如果小国没有储蓄，城郭也不牢固，上下不齐心，那么大国就会出兵攻打它。如今让主张厚葬久丧的人主政，那么国家一定会穷困，人口一定会减少，刑法政治一定会混乱。如果国家贫困，就没有东西可储备；如果人口减少，那么修城郭、挖沟渠的人也就少了；如果刑法政治混乱，出战就不能取胜，守卫就不会牢固。

此求禁止大国之攻小国也，而既已不可矣，欲以干上帝鬼神之福，意者可邪？其说又不可矣。今唯无以厚葬久丧者为政，国家必贫，人民必寡，刑政必乱。若苟贫，是粢盛酒醴不净洁也；若苟寡，是事上帝鬼神者寡也；若苟乱，是祭祀不时度也。今又禁止事上帝鬼神，为政若此，上帝鬼神始得从上抚之，曰："我有是人也，与无是人也，孰愈？"曰："我有是人也，与无是人也，无择也。"则惟上帝鬼神降之罪厉之祸罚而弃之，则岂不亦乃其所哉！

【译文】

用厚葬久丧之法寻求禁止大国攻打小国，已经是不可能的了，那么想要用它求得上帝鬼神赐福，难道是可能的吗？仍然是行不通的。如果让主张厚葬久丧的人主持政务，则国家一定会穷困，人口一定会减少，刑法政治一定会混乱。一旦国家穷困，那么祭祀的酒食祭品就不会洁净；一旦人口减少了，那么敬拜上帝鬼神的人就变少了；一旦刑法政治混乱，那么祭祀也就不能按时举行了。如今又禁止敬事上帝鬼神，照这样施政，上帝鬼神便会在天上憎恨他们，说："我有这些人，和没有这些人，哪一个更好呢？"说："我有这些人，和没有这些人，都是一样的。"所以，上帝鬼神降下罪厉祸罚并且抛弃他们，难道不也正是他们所应得的吗？

故古圣王制为葬埋之法，曰："棺三寸，足以朽体；衣衾三领，足以覆恶。以及其葬也，下毋及泉，上毋通臭，垄若参耕之亩，则止矣。死则既以葬矣，生者必无久哭，而疾而从事，人为其所能，以交相利也。"此圣王之法也。

【译文】

所以，上古圣王制定埋葬的法度，说："棺木三寸厚，足够用到尸体腐烂；衣服三件，足够掩盖尸形。等到下葬，向下挖掘不及地泉，上面别让臭味散发，坟墓占地长宽各三尺，就已经足够了。死者埋葬之后，生者不应当久哭，以至影响工作，每个人都各尽其能，以此交相得利。”这才是圣王的法度。

今执厚葬久丧者之言曰：厚葬久丧虽使不可以富贫众寡、定危治乱，然此圣王之道也。子墨子曰：不然。昔者尧北教乎八狄，道死，葬蛩山之阴，衣衾三领，榖木之棺，葛以缄之，既氾[①]而后哭，满埳无封。已葬，而牛马乘之。舜西教乎七戎，道死，葬南己之市，衣衾三领，榖木之棺，葛以缄之。已葬，而市人乘之。禹东教乎九夷，道死，葬会稽之山，衣衾三领，桐棺[②]三寸，葛以缄之，绞之不合，通之不埳，土[③]地之深，下毋及泉，上毋通臭。既葬，收余壤其上，垄若参耕之亩，则止矣。若以此若三圣王者观之，则厚葬久丧果非圣王之道。故三王者，皆贵为天子，富有天下，岂忧财用之不足哉，以为如此葬埋之法？

【注释】

①氾：当作“犯”，为“窆”的借音字。

②桐棺：桐木做的棺材。

③土：为“掘”字之误。

【译文】

如今坚持厚葬久丧主张的人说：虽然厚葬久丧不能富贫众寡、定危治乱，但这是圣王之道。墨子说：不对。当年帝尧到北方教化八狄，死在路上，埋葬在蛩山北侧，穿了三件衣服，劣等木头做棺材，葛藤束棺，棺材埋入墓穴之后才哭丧，填平墓穴没有起坟。葬礼完毕后，牛马可以在上面走。舜王去西方教化七戎，死在路上，埋葬在南己的街市，穿了三件衣服，劣等木头做棺材，葛藤束棺。葬礼完毕后，人们可以照常在上面往来。大禹王到东方去教化九夷，死在路上，埋葬在会稽山，穿了三件衣服，用梧桐木做了一具三寸厚的棺材，葛藤束住，棺盖和棺身不能密封，下棺的地方不修墓道，墓坑的深度不及地泉，上面不散发臭气。葬礼完毕，将余下的土堆在上面，坟墓长宽大约三尺，就也这样了。如若按照三位圣王来看，那么厚葬久丧真的不是圣王之道。这三位君王全都贵为天子，富有天下，难道还担心财用不够，才制定这样的葬埋法度吗？

今王公大人之为葬埋，则异于此。必大棺中棺，革阓[①]三操[②]，璧玉即具，戈剑鼎鼓壶滥，文绣素练，大鞅万领[③]，舆马女乐皆具，曰必捶垛差通，垄虽凡[④]山陵。此为辍民之事，靡民之财，不可胜计也，其为毋用若此矣。

【注释】

①阓：为“鞼”的假借字，绣有花纹的皮革。

②操：为“累”之误。

③大鞅万领：疑为“衣衾万领”之误。

④虽凡：为“雄如”之误。

【译文】

如今王公大臣们的葬埋法，和这个就不同了。一定要用套棺，然后用饰有花彩的皮带缠了又缠，璧玉已经具备，戈剑鼎鼓壶镜子，绣花衣服和白色的熟绢，衣衾万件，车马女乐全都齐备了，还一定要把墓道捶实，坟墓雄伟可与山陵相比。这是耽误人民劳作，耗费百姓资财，多得无法计算的事，它的毫无用处已经到了这个地步。

是故子墨子曰：乡者[①]，吾本言曰：意亦使法其言，用其谋，计厚葬久丧，请[②]可以富贫众寡、定危治乱乎，则仁也，义也，孝子之事也，为人谋者，不可不劝也；意亦使法其言，用其谋，若人厚葬久丧，实不可以富贫众寡、定危治乱乎，则非仁也，非义也，非孝子之事也，为人谋者，不可不沮也。是故求以富国家，甚得贫焉；欲以众人民，甚得寡焉；欲以治刑政，甚得乱焉；求以禁止大国之攻小国也，而既已不可矣；欲以干上帝鬼神之福，又得祸焉。上稽之尧舜禹汤文武之道而政[③]逆之，下稽之桀纣幽厉之事，犹合节也。若以此观，则厚葬久丧其非圣王之道也。

【注释】

①乡者：当初。乡，通“向”。

②请：通“诚”。

③政：通“正”。

【译文】

所以，墨子说：当初，我原本说过：如果效法他的言论，采用他的谋议，考察厚葬久丧，确实能够富贫众寡、定危治乱，那么就是仁义的，孝子应当做的，替人谋划的人不能不勉力去做。假如效法他的言论，采用他的谋议，而考察人们厚葬久丧之后，的确不能富贫众寡、定危治乱，那这就是不仁不义的，不是孝子应当做的，所以替人谋划的人不能不阻止它流行。所以，用厚葬久丧的方法寻求国家富足，结果却更加贫困；想要让人口增加，结果却变得更少；想要使刑政得到治理，结果却更加混乱；想要禁止大国攻打小国，依然是不可能的；想用此来取得上帝鬼神的赐福，反而招来了祸患。向上从尧舜禹汤文王武王的道术考察它，正好与它相反；向下从桀纣幽王厉王的事迹来考察它，结果却完全相合。依此来看，那么厚葬久丧应当不是圣王之道。

今执厚葬久丧者言曰：厚葬久丧果非圣王之道，夫胡说中国之君子，为而不已，操而不择[1]哉？子墨子曰：此所谓便其习而义[2]其俗者也。昔者越之东有輆沭之国者，其长子生，则解而食之，谓之“宜弟”；其大父死，负其大母而弃之，曰，鬼妻不可与居处。此上以为政，下以为俗，为而不已，操而不择，则此岂实仁义之道哉？此所谓便其习而义其俗者也。楚之南有炎[3]人国者，其亲戚死，朽其肉而弃之，然后埋其骨，乃成为孝子。秦之西有仪渠之国者，其亲戚死，聚柴薪而焚之，燻[4]上，谓之登遐，然后成为孝子。此上以为政，下以为俗，为而不已，操而不择，则此岂实仁义之道哉？此所谓便其习而义其俗者也。若以此若三国者观之，则亦犹薄矣；若以中国之君子观之，则亦犹厚矣。如彼则大厚，如此则大薄，然则葬埋之有节矣。

【注释】

①择：为“释”字之误。

②义：为“宜”。

③炎：为“啖”字之误。

④燻（xūn）：火烟上冒。

【译文】

如今坚持厚葬久丧观点的人说：如果厚葬久丧不是圣王之道，那么应该如何解释中原的君子们不停地实行、坚决不放弃呢？墨子说：这就人们所讲的以自己的习惯为便利，以自己的风俗为适宜。当初，越国的东面有一个輆沭国，这个国的人生有第一个孩子，就把他肢解吃掉，称其为“宜弟”；这里的人在祖父死后，就背着祖母把她扔掉，说不能同鬼妻住一块。这种做法居上位者施以为政，下面的百姓则约以为俗，不停地实行、坚决不放弃，然而这难道能说是仁义之道吗？这就是以自己的习惯为便利，以自己风俗为适宜。楚国南边有一个啖人国，这个国家的人在父母死后，先将肉割下来扔掉，然后只埋葬骨头，这样才能成为孝子。秦国西边有一个仪渠国，这个国家的人在父母死后，积聚柴草把尸体烧掉，烟气上升，说成是死者“登仙”，然后说这才算是孝子。这种做法居上位者施以为政，下面的百姓则约以为俗，不停地实行、坚决不放弃，然而这难道能说是仁义之道吗？这就是以自己的习惯为便利，以自己风俗为适宜。如果从这三个国家来看，那么他们的葬丧是很微薄的；而以中原君子的做法来看，却是厚重的。像这样太厚，像那样又太薄，既然如此，那么葬埋的方法就应当有节度了。

故衣食者，人之生利也，然且犹尚有节；葬埋者，人之死利也，夫何独无节于此乎？子墨子制为葬埋之法，曰：棺三寸，足以朽骨；衣三领，足以朽肉；掘地之深，下无菹[①]漏，气无发泄于上，垄足以期其所，则止矣。哭往哭来，反[②]从事乎衣食之财，佴乎祭祀，以致孝于亲。故曰子墨子之法，不失死生之利者，此也。

故子墨子言曰：今天下之士君子，中请将欲为仁义，求为上士，上欲中圣王之道，下欲中国家百姓之利，故当若节丧之为政，而不可不察此者[③]也。

【注释】

①菹：通“沮”。

②反：通“返”。

③此者：应为“者此”。

【译文】

所谓衣食，那是人活着时的利益，尚且要崇尚节制；所谓葬埋，那是人死后的利益，为什么单单不对此进行节制呢？墨子制定了葬埋的法度，说：棺材板厚三寸，足以用到尸骨腐烂；衣服穿三件，足以用到死者的肉体朽烂；掘地的深度，向下不要渗水，向上不要让尸臭味冒出来，坟丘足以让人认识就可以了。哭着出丧，哭着回家，回家之后就得要从事于谋求衣食之财的工作了，用来资助祭祀之用，从而向双亲表达孝道。所以墨子的法度，不损害生者和死者两方面的利益，就是这样啊。

所以，墨子说：如今天下的士君子们，如果内心之中确实想施行仁义，追求做高尚上人，对上符合圣王之道，对下符合国家百姓之利，对以节葬来施政的道理，就不能不加以考察。

天志上

【题解】

天志就是上天的意志。在这里，墨子提出了一个比天子还要高一级的“天”，让这位最高的裁判者监督者来为自己的主张站台，天的意志就是墨子的意志：天喜欢义，憎恶不义；天希望人们相互帮助、相互教导，反对人们相互攻击、相互敌视。因此，可以说，天志实际上就是墨子推行自己兼相爱、交相利学说的工具。

子墨子言曰：今天下之士君子，知小而不知大。何以知之？以其处家者知之。若处家得罪于家长，犹有邻家所[1]避逃之。然且亲戚、兄弟所知识，共相儆戒，皆曰：“不可不戒矣！不可不慎矣！恶有处家而得罪于家长，而可为也！”非独处家者为然，虽处国亦然。处国得罪于国君，犹有邻国所避逃之。然且亲戚、兄弟所知识，共相儆戒皆曰：“不可不戒矣！不可不慎矣！谁亦有处国得罪于国君，而可为也！”此有所避逃之者也，相儆戒犹若此其厚，况无所避逃之者，相儆戒岂不愈厚，然后可哉？且语言有之曰："焉而[2]晏[3]日，焉而得罪，将恶避逃之？"曰：无所避逃之。夫天不可为林谷幽门无人，明必见之。然而天下之士君子之于天也，忽然不知以相儆戒，此我所以知天下士君子知小而不知大也。

【注释】

①所：可。

②而：通"尔"。

③晏：清明。

【译文】

墨子说：如今天下的士君子们，只知小道理却不知大道理。如何知道是这样的呢？从他在家时的情况便可知道。如果在家里得罪了家长，这个人还可以逃到邻居家去。然而父母兄弟等所有认识的人都警告他，说："不可不警戒啊！不可不慎重啊！没有人能做出在家里得罪家长这样的事来的！"不只在家里如此，即便在国中也是这样。如果在国中得罪了国君，还可以去邻国躲避。然而父母、兄弟等一切认识的人都警告他，说："不可不警戒啊！不可不慎重啊！谁会做出生在国中却得罪国君这样的事呢？"这是有逃避之地的，人们警告还这样严厉，又何况那些无逃避之地的情况呢？人们警告难道不应该更加严厉吗？而且俗话说："光天化日之下，犯了罪，有何处可以逃避呢？"回答是：没有地方可逃避。对于上天来说就没有深山深谷幽暗无人的地方，他任何地方都一定能看见。然而，普天下的士君子们对于天，却疏忽不知道相互警告，这就是我所以知道天下士君子们只知小道理不知大道理的原因。

然则天亦何欲何恶？天欲义而恶不义。然则率天下之百姓以从事于义，则我乃为天之所欲也。我为天之所欲，天亦为我所欲。然则我何欲何恶？我欲福禄而恶祸祟。若我不为天之所欲，而为天之所不欲，然则我率天下之百姓以从事于祸祟中也。然则何以知天之欲义而恶不义？曰：天下有义则生，无义则死；有义则富，无义则贫；有义则治，无义则乱。然则天欲其生而恶其死，欲其富而恶其贫，欲其治而恶其乱，此我所以知天欲义而恶不义也。

【译文】

那么，上天喜欢什么，厌恶什么呢？上天喜欢仁义而厌恶不义。那么，率领天下百姓去做仁义之事，我就是在做上天喜欢的事了。我做上天喜欢之事，上天也会做我喜欢的事。那么，我喜欢什么，厌恶什么呢？我喜欢福禄厌恶祸患。如果我不做上天喜欢的事，却去做上天厌恶的事，那么我就是在带领天下百姓陷身于祸患之中去了。那么，如何知道上天喜欢仁义却厌恶不义呢？回答说：天下有仁义的就生存，无仁义就死亡；有仁义就富有，无仁义就贫穷；有仁义就安定，无仁义就混乱。话说回来，上天喜欢人类生存而厌恶死亡，喜欢人类富有而厌恶贫穷，喜欢人类安定而厌恶混乱，这就是我知道上天喜欢仁义而厌恶不义的原因。

曰：且夫义者，政[①]也。无从下之政上，必从上之政下。是故庶人竭力从事，未得次[②]己而为政，有士政之；士竭力从事，未得次己而为政，有将军、大夫政之；将军、大夫竭力从事，未得次己而为政，有三公、诸侯政之；三公、诸侯竭力听治，未得次己而为政，有天子政之；天子未得次己而为政，有天政之。天子为政于三公、诸侯、士、庶人，天下之士君子固明知，天之为政于天子，天下百姓未得之明知也。

【注释】

①“政”：通“正”。

②“次”：为“恣”。

【译文】

墨子说：况且所谓义，是用来匡正人的。没有下面匡正上面的道，必须由上面匡正下面。所以百姓竭力做事，不得放纵自己任意去做，有士人去匡正他们；士人竭力做事，不得放纵自己任意去做，有将军和大夫来匡正他们；将军和大夫竭力做事，不得放纵自己任意去做，有三公和诸侯去匡正他们；三公和诸侯竭力处理政务，不得放纵自己任意去做，有天子来匡正他们；天子不得放纵自己任意治政，有上天来匡正他。天子施政于三公、诸侯、士人、百姓，普天下的士君子自然明白，但上天施政于天子，普天下的百姓却未必能清楚。

故昔三代圣王禹汤文武，欲以天之为政于天子，明说[①]天下之百姓，故莫不犓牛羊，豢犬彘，洁为粢盛酒醴，以祭祀上帝鬼神，而求祈福于天。我未尝闻天下之所求祈福于天子者也，我所以知天之为政于天子者也。故天子者，天下之穷贵也，天下之穷富也。故于[②]富且贵者，当天意而不可不顺。顺天意者，兼相爱，交相利，必得赏；反天意者，别相恶，交相贼，必得罚。然则是谁顺天意而得赏者？谁反天意而得罚者？子墨子言曰：昔三代圣王禹汤文武，此顺天意而得赏也；昔三代之暴王桀纣幽厉，此反天意而得罚者也。然则禹汤文武其得赏何以也？子墨子言曰：其事上尊天，中事鬼神，下爱人。故天意曰：“此之我所爱，兼而爱之；我所利，兼而利之。爱人者此为博焉，利人者此为厚焉。”故使贵为天子，富有天下，业[③]万世子孙，传称其善，方施天下，至今称之，谓之圣王。然则桀纣幽厉得其罚何以也？子墨子言曰：其事上诟天，中诟鬼，下贼人。故天意曰："此之我所爱，别而恶之；我所利，交而贼之。恶人者，此为之博也；贱[④]人者，此为之厚也。"故使不得终其寿，不殁其世，至今毁之，谓之暴王。

【注释】

①明说：明确劝告。

②于：为"欲"字之误。

③业：传业。

④贱：为"贼"字之误。

【译文】

因此，当初三代圣王禹汤文王武王，想要把上天施政于天子之事，明确地告诉普天下的百姓，所以没有人不喂牛羊，养猪狗，准备洁净的酒食祭品，用以祭祀上帝鬼神，从而向上天祈福。我从未听说天下百姓向天子祈福的，我由此得知上天施政于天子。因此所谓天子，是全天下最尊贵之人，全天下最富有之人。所以那些寻求贵富的人，对天意就不可以不顺从。顺天意之人，无差别地爱他人，交互得到利益，必定得到赏赐；违背天意之人，互相厌恶，互相伤害，必定得到惩罚。那么，谁顺天意而得到赏赐呢？谁又违背天意而得到惩罚呢？墨子说：当初三代圣王禹汤文王武王，他们都是顺天意而得到赏赐的；三代暴王桀纣幽王厉王，他们都是违背天意而得到惩罚的。那么，禹汤文王武王为什么得到赏赐呢？墨子说：他们做事上尊天，中敬鬼神，下爱百姓。所以天意说："这是对我所爱的，他们同样爱；对我所要给予利益的，他们同样给予利益。爱人的事是最为广博的，利人的事是最为厚重的。"于是让他们贵为天子，富有天下，后世子孙万代，称颂他们的美德，教化施行天下，至今仍然为人所称道，称他们为圣王。那么，桀纣幽王厉王又为何得到惩罚？墨子说：他们做事对上辱骂天，于中辱骂鬼神，对下戕害百姓。因此天意说："对我所爱的，他们憎恶；对我想要给予利益的，他们残害。憎恶人的事，是最广泛的；残害人的事，是最为严重的。"因此，让他们得不到寿终，无法终其身，至今人们还在唾骂他们，称其为暴王。

然则何以知天之爱天下之百姓？以其兼而明之。何以知其兼而明之？以其兼而有之。何以知其兼而有之？以其兼而食焉。何以知其兼而食焉？曰：四海之内，粒食之民，莫不犓牛羊，豢犬彘，洁为粢盛酒醴，以祭祀于上帝鬼神。天有邑人，何用弗爱也？且吾言杀一不辜者，必有一不祥。杀不辜者谁也？则人也。予之不祥者谁也？则天也。若以天为不爱天下之百姓，则何故以人与人相杀，而天予之不祥？此我所以知天之爱天下之百姓也。

【译文】

那么，如何知道上天爱护天下百姓呢？因为它对百姓全都了解。如何知道他对百姓全都了解呢？因为它全部拥有天下的人。如何知道它全部拥有呢？因为它供给天下所有人食物。如何知道它供给全部食物呢？话说：四海之内，举凡吃五谷杂粮的百姓，无不喂牛羊，养猪狗，备好洁净的酒食祭品，用以祭祀上帝鬼神。上天拥有万民，如何会不爱护他们呢？况且我曾经说过，杀死一个无辜之人，必定会遭遇一件灾祸。杀害无辜的是谁呢？是人啊。给这个人降下灾祸的是谁呢？是上天啊。如果以为上天不爱天下百姓，那为何人们相互杀害，而天要降灾祸呢？这就是我知道上天爱护天下百姓的原因。

顺天意者，义政也；反天意者，力政也。然义政将奈何哉？子墨子言曰：处大国不攻小国，处大家不篡小家，强者不劫弱，贵者不傲贱，多诈者不欺愚。此必上利于天，中利于鬼，下利于人，三利无所不利，故举天下美名加之，谓之圣王。力政者则与此异，言非此，行反此，犹倖[1]驰也。处大国攻小国，处大家篡小家，强者劫弱，贵者傲贱，多诈欺愚。此上不利于天，中不利于鬼，下不利于人，三不利无所利，故举天下恶名加之，谓之暴王。

【注释】

①倖：为“偝”字之误，同“背”。

【译文】

顺从天意，就是实行仁义政治；违背天意的，就是实行暴力政治。那么，仁义政治应当如何做呢？墨子说：处于大国位置的不去攻打小国，处于大家族位置的不去抢掠小家族，强者不劫掠弱者，富贵者不鄙视贫贱者，计谋多者不欺压愚笨者。这样做一定会上利于天，中利于鬼，下利于人。对这三者有利就会无所不利，于是将天下的美名送给他，称其为圣王。而暴力政治与此不同，不仅言论不同，行为也跟这个相反，如同背道而驰一般。处于大国位置的攻打小国，处于大家族位置的抢夺小家族，强者劫掠弱者，富贵者鄙视贫贱者，多谋者欺压愚笨者。这样做上不利于天，中不利于鬼，下不利于人，对这三者都不利就会无所利了，因此将天下的恶名送给他，称其为暴王。

子墨子言曰：我有天志，譬若轮人之有规，匠人之有矩。轮匠执其规矩，以度天下之方圜，曰：“中者是也，不中者非也。”今天下之士君子之书，不可胜载，言语不可尽计，上说诸侯，下说列士，其于仁义则大相远也。何以知之？曰：我得天下之明法以度之。

【译文】

墨子说：我有了上天的意志，就如同造车轮的人有了圆规，木匠有了矩尺。造车轮的人和木匠拿着圆规和矩尺，用来度量天下的方圆，说："符合的就是对的，不符合就是错的。"如今普天下士君子的书，多到用车装不完，言论多得无法计算，对上游说诸侯，对下游说有名望之人，然而他们对仁义却相差极远。如何知道呢？回答是：我得到天下的圣明的法度来衡量他们的言论。

明鬼下

【题解】

子不语怪力乱神，鬼神有无之争从古至今一直是一个人们争论不休的话题，无神论者和有神论者都有自己的理由。墨子是有神论者，但他的有神论与一般人却不相同，鬼神在他这里成了治国安民的工具，只要相信鬼神有赏善罚恶的本事，就能让上至天子诸侯，下至黎民百姓都有敬畏之心，有了敬畏之心，人们才不会去做坏事，只做仁义之事，于是天下就安定了。

子墨子言曰：逮至昔三代圣王既没，天下[1]失义，诸侯力正。是以存夫为人君臣上下者之不惠忠也，父子弟兄之不慈孝弟长贞良也。正长之不强于听治，贱人之不强于从事也。民之为淫暴寇乱盗贼，以兵刃毒药水火退[2]无罪人乎道路率径，夺人车马衣裘以自利者，并作由此始，是以天下乱。此其故何以然也？则皆以疑惑鬼神之有与无之别，不明乎鬼神之能赏贤而罚暴也。今若使天下之人偕若信鬼神之能赏贤而罚暴也，则夫天下岂乱哉？

【注释】

①天下：当为“天子”。

②退：当作“迓”，通“御”。

【译文】

墨子说：自从三代圣王去世之后，天子便丧失了道义，诸侯以暴力相互征讨。于是便出现了君臣之间没有仁惠和忠诚，父子弟兄之间没有了慈爱孝敬与悌长贞良。当官的不努力听政治国，百姓不努力做事。百姓们做出淫暴寇乱盗贼之事，用兵器毒药水火袭击路上的无辜之人，抢夺他人车马衣裘为自己牟私利，这些事从此开始，于是天下大乱。这究竟是什么原因呢？都是由于对有无鬼神存在疑惑，不知道鬼神能赏贤罚暴。如果现在让全天下的人都相信鬼神能赏贤罚暴，那天下怎么会混乱呢？

今执无鬼者曰：鬼神者，固无有。旦暮以为教诲乎天下，疑天下之众，使天下之众皆疑惑乎鬼神有无之别，是以天下乱。是故子墨子曰：今天下之王公大人士君子，实将欲求兴天下之利，除天下之害，故当鬼神之有与无之别，以为将不可以不明察此者也。

【译文】

如今坚持无鬼论的人说：鬼神嘛，根本就不存在。早晚都以这类言论教导天下的人，使天下的百姓疑惑，让天下的百姓都对有无鬼神疑惑不解，于是天下大乱。所以，墨子说：当今天下的王公大臣和士君子们，如若想要兴天下之利，除天下之害，那对鬼神有无的分辨，我认为是不可不加以详细考察的。

既以鬼神有无之别，以为不可不察已[1]。然则吾为明察此，其说将奈何而可？子墨子曰：是与天下之所以察知有与无之道者，必以众之耳目之实知有与亡为仪者也。请惑[2]闻之见之，则必以为有；莫闻莫见，则必以为无。若是，何不尝入一乡一里而问之，自古以及今，生民以来者，亦有尝见鬼神之物，闻鬼神之声，则鬼神何谓无乎？若莫闻莫见，则鬼神可谓有乎？

【注释】

①已：通“矣”。

②惑：通“或”。

【译文】

既然鬼神有无的区别，不可不详加考察，那么如果我来考察它，应当如何说呢？墨子说：天下用以考察一件东西有无的方法，必定用大众耳目实际见闻来作为标准。确实有人听过见过，那么必定就是有；如果没有听过见过，那么必定会认为没有。如果是这样，何不尝试着到乡里去问一问，自古至今，有人类以来，也曾有人见过鬼神的形貌，听过鬼神的声音，那么如何说鬼神没有呢？如果不曾听到看到，那如何说鬼神有呢？

今执无鬼者言曰：夫天下之为闻见鬼神之物者，不可胜计也，亦孰为闻见鬼神有无之物哉？子墨子言曰：若以众之所同见，与众之所同闻，则若昔者杜伯是也。周宣王杀其臣杜伯而不辜，杜伯曰：“吾君杀我而不辜，若以死者为无知，则止矣；若死而有知，不出三年，必使吾君知之。”其三年，周宣王合诸侯而田[1]于圃，田车数百乘，从数千，人满野。日中，杜伯乘白马素车，朱衣冠，执朱弓，挟朱矢，追周宣王，射之车上，中心折脊，殪车中，伏弢[2]而死。当是之时，周人从者莫不见，远者莫不闻，著在周之《春秋》。为君者以教其臣，为父者以警其子，曰："戒之慎之！凡杀不辜者，其得不祥，鬼神之诛，若此之憯遬也！"以若书之说观之，则鬼神之有，岂可疑哉？

【注释】

①田：通"畋"，打猎。

②弢：弓衣。

【译文】

如今坚持无鬼论的说：天下关于听到见到鬼神的传闻，多得无法计算，但又是谁真的听到看到鬼神这种事物呢？墨子说：如果以众人一同见到、一同听到来讲，那么像当初杜伯就是这样。话说周宣王杀了他没有罪的臣子杜伯，杜伯说："我没罪而我的君王却要杀我，假如死后无知也就罢了，假如死后有知，不出三年，我一定要让君王知道。"到了第三年，周宣王有一次聚合诸侯在田野打猎，猎车有几百辆，随从有数千人，漫山遍野全都是人。中午，杜伯乘着白马素车，穿着红色衣帽，手拿着红色的弓和红色的箭，追赶周宣王，箭射向他的车，射中心脏折断脊骨，伏在弓袋上死掉了。当时，跟从的人全都看见了，远处的人全都听到了，这件事记载在周朝的《春秋》。作君上的以此教导臣子，做父亲的以此警告儿子，说："警戒呀！谨慎呀！凡杀害无辜的人，必定会得到祸患，鬼神的诛罚，是这样迅速啊。"如果照这本书的说法来看，那么鬼神的存在，还有什么可怀疑的呢？

非惟若书之说为然也。昔者郑穆公①当昼日中处乎庙，有神入门而左，鸟身，素服三绝②，面状正方。郑穆公见之，乃恐惧奔，神曰："无惧！帝享女明德，使予锡女寿十年有九，使若国家蕃昌，子孙茂，毋失。”郑穆公再拜稽首曰：“敢问神名？”曰：“予为句芒。”若以郑穆公之所身见为仪，则鬼神之有，岂可疑哉？

【注释】

①郑穆公：为“秦穆公”之误。

②三绝：清代学者孙诒让认为此词当为“玄纯”。

【译文】

并非只有这本书上是这样说的。当年秦穆公白天中午待在庙里，有一位神进门向左走，长着鸟身子，穿白衣戴黑帽，脸是正方形的。秦穆公看见了，惊恐地逃走，神说：“不要怕！上天肯定你的明德，让我来赐给你十九年的阳寿，让你的国家昌盛，子孙兴旺，不失去国家。”秦穆公拜了两拜俯首问：“敢问尊神的名字？”回答道：“我是句芒。”如若从秦穆公亲眼所见的这件事来看，那么鬼神存在，还有什么好怀疑的？

非惟若书之说为然也。昔者，燕简公杀其臣庄子仪而不辜，庄子仪曰：“吾君王杀我而不辜，死人毋知亦已；死人有知，不出三年，心使吾君知之。”期年，燕将驰祖[①]。燕之有祖，当齐之社稷，宋之有桑林，楚之有云梦也，此男女之所属而观也。日中，燕简公方将驰于祖涂[②]，庄子仪荷朱杖而击之，殪之车上。当是时，燕人从者莫不见，远者莫不闻，著在燕之《春秋》。诸侯传而语之曰：“凡杀不辜者，其得不祥，鬼神之诛，若此其憯遬也！”以若书之说观之，则鬼神之有，岂可疑哉？

【注释】

①祖：水泽名。

②涂：通“途”，道路。

【译文】

并非只有这本书上是这样说的。当年，燕简公杀死了他没有罪的臣子庄子仪，庄子仪说："我的君王杀我但我并无罪，死人没有知觉便罢了；死人如果有知，不出三年，定要让我的君王知道这件事。"一年之后，燕人将要去祖泽举行祭祀。燕国的祖泽，就如同齐国的神社，宋国的桑林，楚国的云梦一样，都是人们聚会游玩之地。正午，燕简公正在前往祖泽的路上，庄子仪举着一根红木杖击打他，将他杀死在车上。当时，燕国的随从们没有没看见的，远处的人没有不听说的，这件事记录在燕国的《春秋》里。诸侯们都相互传告说："凡是杀了无辜之人，他将得祸事，鬼神的诛惩，就像这样迅速啊！"从这本书的说法来看，鬼神的存在，还有什么好怀疑的呢？

非惟若书之说为然也。昔者宋文君鲍之时，有臣曰祏[①]观辜[②]，固尝从事于厉。祩[③]子杖揖[④]出，与言曰："观辜！是何珪璧之不满度量，酒醴粢盛之不净洁也？牺牲之不全肥？春秋冬夏选失时，岂女为之与？意鲍为之与？"观辜曰："鲍幼弱，在荷繦[⑤]之中，鲍何与识焉。官臣观辜特为之。"祩子举揖而槀[⑥]之，殪之坛上。当是时，宋人从者莫不见，远者莫不闻，著在宋之《春秋》。诸侯传而语之曰："诸不敬慎祭祀者，鬼神之诛，至若此其憯遫也！"以若书之说观之，鬼神之有，岂可疑哉！

【注释】

①祏：为"祐"之误。

②观辜：当为"射姑"，人名。

③祩：即"祝"。

④揖：为"楫"字之误。

⑤荷襁：为“葆襁”之误，即“襁褓”。

⑥槀：同“敲”。

【译文】

并非只有这本书上是这样说的。当初宋文公鲍的时代，有个掌管祭祀的臣子叫䄷姑，曾经在祠庙中从事祭祀活动。祝史拄着短杖出来，对他说：“䄷姑，为何圭璧达不到礼制规格？酒食祭品不洁净？牛羊牺牲不纯色不肥壮？春秋冬夏的祭献不按时令？这事是你做的呢？还是宋文公鲍做的呢？䄷姑说：“文公鲍年纪还小，尚在襁褓当中，他怎会知道呢？这些都是䄷姑一个人做的。”于是祝史便举起短杖打他，将他打死在祭坛之上。当时，宋国人在现场的没有人不看见，远处的人没有不听到，这事记录在宋国的《春秋》。诸侯们都相互传告说：“那些不恭敬谨慎地祭祀的人，鬼神的诛罚，到来就是这样迅速啊！”从这本书的说法来看，鬼神的存在，还有什么可疑的呢？

非惟若书之说为然也。昔者，齐庄君之臣有所谓王里国、中里徼者，此二子者，讼三年而狱不断。齐君由[①]谦[②]杀之恐不辜；犹谦释之，恐失有罪。乃使之[③]人共一羊，盟齐之神社，二子许诺。于是泏洫[④]，摇羊而漉其血。读王里国之辞既已终矣，读中里徼之辞未半也，羊起而触之，折其脚，祧神之而槀之，殪之盟所。当是时，齐人从者莫不见，远者莫不闻，著在齐之《春秋》。诸侯传而语之曰：“请品先[⑤]不以其请者，鬼神之诛，至若此其憯遬也。”以若书之说观之，鬼神之有，岂可疑哉？是故子墨子言曰：虽有深谿、博林、幽涧毋人之所，施行不可以不董[⑥]，见有鬼神视之。

【注释】

①由：为“欲”之假借字。

②谦：同“兼”。

③之：为“二”字之误。

④泏洫：同“掘穴”。

⑤请品先：为“诸诅失”之误。

⑥董：为“堇”之误，通“谨”。

【译文】

并非只有这本书上是这样说的。当初，齐庄公的臣子中有叫王里国、中里徼的，这俩人，打了三年官司而狱官仍不能判决。齐庄公想全都杀了他们又担心错杀无辜；想全都释放了他们，又担心错放了犯罪之人。于是就让两人共出一羊，在齐国神社立誓，两人都答应了。于是挖了一个坑，杀掉羊将其血洒在里面。王里国宣读誓词结束之后，中里徼的誓词还没读到一半，被杀死的羊便跳起来顶撞他，将他的腿撞断，祝史便来打他，将他杀死在起誓的地方。当时，齐国在现场的人没有不看见的，远处的人没人不听说的，这事记录在齐国的《春秋》。诸侯们便相互传告说：“那些发誓时没有真情实意的人，鬼神的诛罚，来得就是这样迅速。”从这本书的说法来看，鬼神的存在，还有什么好怀疑的呢？所以墨子说：即使在深溪老林、幽涧无人的地方，行动也不能不谨慎，因为有鬼神在看着。

今执无鬼者曰：夫众人耳目之请，岂足以断疑哉？奈何其欲为高君子于天下，而有复信众之耳目之请哉？子墨子曰：若以众之耳目之请，以为不足信也，不以断疑，不识若昔者三代圣王尧舜禹汤文武者，足以为法乎？故于此乎，自中人以上皆曰：若昔者三代圣王，足以为法矣。若苟昔者三代圣王足以为法，然则姑尝上观圣王之事。昔者，武王之攻殷诛纣也，使诸侯分其祭，曰：“使亲者受内祀，疏者受外祀。”故武王必以鬼神为有，是故攻殷伐纣，使诸侯分其祭。若鬼神无有，则武王何祭分哉？

【译文】

如今坚持无鬼论的人说：那些众人耳闻目见的事情，怎么能够断定疑难呢？那些打算在天下做高士君子的人，怎么会相信众人耳闻目见的事情呢？墨子说：如果众人耳闻目见的事情，认为不足信，不能够断疑，不知道当年三代圣王尧舜禹汤文王武王，他们是否足以取法呢？对于这个问题，中等以上智力的人都会说：假如是当年三代圣王，是足以取法的。假如当年三代圣王足以为法，那么我们就姑且尝试回顾圣王的事迹。当初，周武王攻打殷商诛杀纣王，使诸侯分别掌管祭祀，说："同姓的诸侯掌管祖庙祭祀，异姓的诸侯掌管山川祭祀。"所以，周武王一定认为鬼神是存在的，于是攻殷伐纣后，让诸侯分掌祭祀。如若没有鬼神，武王为何要让人分别去掌管祭祀呢？

非惟武王之事为然也。故圣王其赏也必于祖，其僇[①]也必于社。赏于祖者何也？告分之均也。僇于社者何也？告听之中也。非惟若书之说为然也，且惟昔者虞夏商周三代之圣王，其始建国营都日，必择国之正坛，置以为宗庙；必择木之修茂者，立以为菆[②]位；必择国之父兄慈孝贞良者，以为祝宗；必择六畜之胜腯肥倅，毛以为牺牲，珪璧琮璜，称财为度；必择五谷之芳黄，以为酒醴粢盛，故酒醴粢盛与岁上下也。故古圣王治天下也，故必先鬼神而后人者，此也。故曰：官府选效[③]，必先祭器祭服，毕藏于府，祝宗有司毕立于朝，牺牲不与昔聚群。故古者圣王之为政若此。

【注释】

①僇：通"戮"。

②菆：同“丛”。

③效：器具物品。

【译文】

并非只有武王的事情是这样的。所以圣王行赏必定在祖庙进行，行罚必定在神社举办。在祖庙行赏是为何呢？是告诉祖先分配均平；在神社行罚是为何呢？是告诉神明断狱公平。并非只有这本书是这样说的，从前虞夏商周三代圣王，他们在开始建立国都之时，一定要选择国都的正坛，设立宗庙；一定选择草木茂盛之地，设立丛社；一定要选择国内父兄慈孝贞良的人，作为太祝和宗伯；一定要选择六畜中肥壮纯色的，作为牺牲祭品；置备珪璧琮璜等玉器，以符合财力为限度；一定要选择五谷中芳香黄熟的，作为供祭的酒食祭品，所以酒食祭品是随年成好坏而增减的。所以，上古圣王治理天下，必定是先敬鬼神而后才考虑人，这就是因为有鬼神的存在。所以说：官府置备物品，一定以祭器祭服为先，全都藏于府库当中，太祝和宗伯等都于朝廷就位，祭祀用的牲畜不和一般牲畜关在一起。所以古代圣王治国就是如此。

古者圣王必以鬼神为[①]，其务鬼神厚矣。又恐后世子孙不能知也，故书之竹帛，传遗后世子孙。咸[②]恐其腐蠹绝灭，后世子孙不得而记，故琢之盘盂、镂之金石，以重之。有恐后世子孙不能敬砉[③]以取羊[④]，故先王之书，圣人一尺之帛，一篇之书，语数鬼神之有也，重有重之。此其故何？则圣王务之。今执无鬼者曰：鬼神者，固无有。则此反圣王之务。反圣王之务，则非所以为君子之道也！

【注释】

①为：后疑脱“有”字。

②咸：为“或”字之误。

③莙（jūn）：为“若”之误，指鬼神。

④羊：通“祥”。

【译文】

古代圣王必定认为鬼神存在，他们侍奉鬼神是如此尽心尽力。由于担心后世子孙不知道，所以写在竹帛上，传给后世的子孙。又害怕竹帛因腐蚀虫咬而消失，后世子孙不能得到而记诵，于是又刻在盘盂上，镂在金石上，以此来表示重要。又害怕后世子孙不能敬奉鬼神以取得吉祥，所以先王的书，圣人一尺的帛书，一篇的简书，都多次论及鬼神存在，对这件事重复了又重复。这是什么原因？是因为圣王尽力于鬼神的事情。如今坚持无鬼论的人说：鬼神根本就不存在。这就是违背了圣王在尽力做的事。违背圣王尽力做的事，就不是君子所奉行的正道了。

今执无鬼者之言曰：先王之书，慎无一尺之帛，一篇之书，语数鬼神之有，重有重之，亦何书之有哉？子墨子曰：周书《大雅》有之。《大雅》曰：“文王在上，于昭于天。周虽旧邦，其命维新。有周不显，帝命不时。文王陟降，在帝左右。穆穆文王，令问不已。”若鬼神无有，则文王既死，彼岂能在帝之左右哉？此吾所以知周书之鬼也。

【译文】

如今坚持无鬼论的人说：先王的书，圣人一尺的帛书，一篇的简书上，曾经多次提到鬼神存在，不断地重复，都是些什么书有记载呢？墨子说：《诗经》的《大雅》中就有。《大雅》中：“文王高居上位，功德昭示于天。周虽是一个旧邦，接受天命才刚刚开始。周朝的事业非常显赫，上天的授命非常及时。文王去世后，常常伴随在上帝左右。庄重恭敬的文王，美名传扬，不曾停止。”如果说鬼神不存在，那么文王死后，他如何能在上帝左右陪伴呢？我因此知道《诗经》中有鬼神的记载。

且周书独鬼，而商书不鬼，则未足以为法也。然则姑尝上观乎商书，曰：“呜呼！古者有夏，方未有祸之时，百兽贞[1]虫，允及飞鸟，莫不比方。矧[2]隹人面，胡敢异心？山川鬼神，亦莫敢不宁。若能共允，隹天下之合，下土之葆。”察山川鬼神之所以莫敢不宁者，以佐谋禹也。此吾所以知商书之鬼也。

【注释】

①贞：为“征”之假借字。

②矧（shěn）：况且。

【译文】

如果只有周书上说有鬼，而商书却没有提到鬼，那么还不足以作为法则。那么，让我们姑且尝试回顾一下商书，上面说：“哎呀！古代的夏朝，还没有灾祸之时，野兽爬虫，以及各种飞鸟，没有不比附的。何况是人类，如何敢有异心？山川鬼神，也不敢不安宁。如果能恭敬诚信，那么就会天下和合，确保国土。”考察山川鬼神不敢不安宁的原因，就是为了辅佐禹王。这是我知道的商书中关于鬼的记载。

且商书独鬼，而夏书不鬼，则未足以为法也。然则姑尝上观乎夏书《禹誓》曰：“大战于甘，王乃命左右六人，下听誓于中军，曰：有扈氏威侮五行，怠弃三正，天用剿绝其命。有曰：日中，今予与有扈氏争一日之命。且[1]尔卿大夫庶人，予非尔田野葆士[2]之欲也，予共行天之罚也。左不共于左，右不共于右，若不共命；御非尔马之政，若不共命。”是以赏于祖而僇于社。赏于祖者何也？言分命之均也。僇于社者何也？言听狱之事也。故古圣王必以鬼神为赏贤而罚暴，是故赏必于祖而僇必于社。此吾所以知夏书之鬼也。故尚者夏书，其次商周之书，语数鬼神之有也，重有重之，此其故何也？则圣王务之。以若书之说观之，则鬼神之有，岂可疑哉？

【注释】

①且：通“徂”，往。

②葆士：当作“宝玉”。

【译文】

如果只有商书中提到鬼，而夏书里不说鬼，那么还不足以作为法则。那么，我们姑且试着回顾夏书，《禹誓》中说：“在甘地举行大战，夏王就命令左右六人，到中军去听训誓，说：有扈氏蔑视五常，怠惰废弃天地人三正道，上天要断绝他的运命。又说：正午已到，我要和有扈氏在今日一拼生死。你们这些卿大夫和百姓听着，我不想要抢夺有扈氏的田地和珍宝，我只是在恭行上天的惩罚。左边的人不拼力进攻左方，右边的人不拼力进攻右方，就是不听命令。车夫不将马驾好，就是不听命令。”所以在祖庙和神社进行赏罚。在祖庙行赏是为何呢？告诉祖先分配公平。在神社行罚是为何呢？是禀告断案公正。所以，古代圣王一定认为鬼神能够赏贤罚暴，所以行赏必在祖庙行罚必往神社。这就是我所知道的夏书中关于鬼的记载。所以，最古老的夏书，其次是商书和周书，都多次提到鬼神的存在，不断地重复。这是什么原因呢？因为圣王尽力于此。从这些书中的说法来看，鬼神的存在，还有什么可怀疑呢？

于古曰：吉日丁卯，周代祝社方，岁于社者考，以延年寿。若无鬼神，彼岂有所延年寿哉！是故子墨子曰：尝若鬼神之能赏贤如罚暴也。盖本施之国家，施之万民，实所以治国家、利万民之道也。若以为不然，是以吏治官府之不絜廉，男女之为无别者，鬼神见之；民之为淫暴寇乱盗贼，以兵刃毒药水火退无罪人乎道路，夺人车马衣裘以自利者，有鬼神见之。是以吏治官府不敢不絜廉，见善不敢不赏，见暴不敢不罪。民之为淫暴寇乱盗贼，以兵刃毒药水火退无罪人乎道路，夺车马衣裘以自利者，由此止。是以莫放幽闲，拟乎鬼神之明显，明有一人畏上诛罚，是以天下治。

【译文】

古人有云：丁卯吉日，人们普遍地祝祭四方之神，岁末祭祀先祖，以便求得延年益寿。如果没有鬼神，他们怎么延年益寿呢？所以墨子说：像这些鬼神就能赏贤罚暴。这原本就应用于国家和万民，因为它是治理国家、谋利万民的方法。如果不是这样认为，那些政府官吏不清廉，男女混杂没分别，鬼神都能看见；百姓去做淫暴寇乱盗贼的事，用兵器毒药水火去伤害路上无辜的人，抢夺他人的车马衣裘，为自己牟私利，也有鬼神能看见。于是官员治理官府不敢不廉洁，见好的行为不敢不行赏，见恶的行为不敢不处罚。老百姓做淫暴寇乱盗贼的事，用兵器毒药水火去伤害路上无辜的人，抢夺他人的车马衣裘为自己谋利，这种事从此就会停止。所以鬼神不会因为幽涧而被遮蔽，他们的明察让所有的罪恶彰显，让每个人都害怕诛罚，于是天下就安定了。

故鬼神之明，不可为幽闲、广泽、山林、深谷，鬼神之明必知之；鬼神之罚，不可为富贵众强、勇力强武、坚甲利兵，鬼神之罚必胜之。若以为不然，昔者夏王桀，贵为天子，富有天下，上诟天侮鬼，下殃傲①天下之万民，祥②上帝伐元山③帝行，故于此乎，天乃使汤至明罚焉。汤以车九两，鸟陈雁行，汤乘大赞，犯遂下众，人之螭遂[④]，王乎[⑤]禽推哆大戏。故昔夏王桀贵为天子，富有天下，有勇力之人推哆、大戏，生列[⑥]兕虎，指画杀人，人民之众兆亿，侯盈厥泽陵，然不能以此圉鬼神之诛。此吾所谓鬼神之罚，不可为富贵众强、勇力强武、坚甲利兵者，此也。

【注释】

①僌：为“杀”字之误。

②祥：疑为“羊”字之误。

③元山：疑为“抗上”之误。

④犯遂下众，人之螭遂：疑应为“犯遂夏众，入之郊遂”。

⑤乎：为“手”之误。

⑥列：通“裂”。

【译文】

所以，鬼神非常英明，不可仗着幽涧、广泽、山林、深谷这种幽闭之地去为非作歹，以鬼神英明必定能够知晓。对于鬼神的处罚，不可以仗着富贵、人多势大、勇猛顽强、坚甲利兵去抵抗，鬼神的处罚必定能够战胜。如果以为不是这样，当初的夏王桀，贵为天子，富有天下，对上咒天侮鬼，对下残杀天下万民，毁坏上天建立的功德，违背上天指示的道路，于是在这个时候，上天就让商汤对他给予处罚。商汤用九十辆战车，布下雁行的阵势，商汤乘上大车，乘势攻打遂城驱逐夏众，进入遂城，汤王亲自擒住了推哆、大戏。当初夏王桀，贵为天子，富有天下，拥有两大勇士推哆和大戏，他们能够生撕犀牛和老虎，手指一点就能杀人，拥有亿兆民众，遍布山川水泽，却仍然不能以此来抵御鬼神的诛罚。这便是我所说的，对于鬼神的诛罚，不能凭借富贵、人多势大、勇猛顽强、坚甲利兵而抵制，就是这样。

且不惟此为然。昔者殷王纣贵为天子，富有天下，上诟天侮鬼，下殃傲天下之万民，播弃黎老，贼诛孩子，楚毒①无罪，刳剔孕妇，庶旧鳏寡，号咷无告也。故于此乎，天乃使武王至明罚焉。武王以择车百两，虎贲②之卒四百人，先庶国节窥戎，与殷人战乎牧之野，王乎禽费中、恶来，众畔百走。武王逐奔入宫，万年梓株，折纣而系之赤环，载之白旗，以为天下诸侯僇。故昔者殷王纣贵为天子，富有天下，有勇力之人费中、恶来、崇侯虎，指寡杀人，人民之众兆亿，侯盈厥泽陵，然不能以此圉鬼神之诛。此吾所谓鬼神之罚，不可为富贵众强、勇力强武、坚甲利兵者，此也。且《禽艾》之道之曰："得玑③无小，灭宗无大。"则此言鬼神之所赏，无小必赏之；鬼神之所罚，无大必罚之。

【注释】

①楚毒：为"焚炙"之误，即炮烙。

②虎贲：勇士。

③玑：为"祺"的借字，吉祥。

【译文】

并非不止夏桀如此。当初殷王纣贵为天子，富有天下，但他对上咒天侮鬼，对下残害天下万民，抛弃老人，屠杀孩子，焚杀无罪之人，剖割孕妇肚子，平民鳏寡号啕大哭没有地方申诉。于是，上天便让周武王致以处罚。武王精选百辆战车，勇士四百，作为同盟诸国的先锋，和殷商军队大战于牧野，武王亲自擒获了费中和恶来，殷商军队四散逃走。武王追奔入王宫，用万年梓株杀死纣王，将他的头系在赤环之上，用白旗挑起，以此为天下诸侯杀了他。当初殷王纣贵为天子，富有天下，又有勇士费中、恶来、崇侯虎等，手指一点便可杀人，民众有兆亿之多，遍布水泽山林，然而却不能以此来抵御鬼神的诛罚。这便是我所说的鬼神的惩罚，不能倚仗富贵、人多势大、勇猛顽强、坚甲利兵来抵抗，就是这个道理。而且《禽艾》中说："积善得福，不嫌微贱；积恶灭宗，不避高贵。"说的就是鬼神的赏赐，无论地位多么低也一定要赏赐他；鬼神的惩罚，不论地位多么高也一定要惩罚他。

今执无鬼者曰：意[①]不忠[②]亲之利，而害为孝子乎？子墨子曰：古之今之为鬼，非他也，有天鬼，亦有山水鬼神者，亦有人死而为鬼者。今有子先其父死，弟先其兄死者矣，意虽使然，然而天下之陈物曰："先生者先死"。若是，则先死者非父则母，非兄而姒也。今洁为酒醴粢盛，以敬慎祭祀，若使鬼神请有，是得其父母姒兄而饮食之也，岂非厚利哉？若使鬼神请亡，是乃费其所为酒醴粢盛之财耳。自[③]夫费之，非特[④]注之污壑而弃之也，内者宗族，外者乡里，皆得如具饮食之。虽使鬼神请亡，此犹可以合驩聚众，取亲于乡里。

【注释】

①意：通"抑"。

②忠：为"中"之假借字。

③自：为"且"之误，同"抑"。

④特：应为"直"。

【译文】

如今坚持无鬼论的人说：这样不是不符合双亲的利益，并且对于做孝子有害吗？墨子说：从古至今所说的鬼神，无非这些，有天鬼，也有山水的鬼神，还有人死之后变的鬼。如今固然有儿子比父亲先死，弟弟比哥哥先死这样的情况，即便这样，但天下常理总是说"先出生的人先死"。如果是这样，那么先死的不是父亲就是母亲，不是哥哥就是姐姐。如今置办洁净的酒食祭品，用来恭敬谨慎地祭祀，假如鬼神真的存在，这便是给父母兄姐的饮食，难道不是极有益处吗？假如鬼神并不存在，也不过是浪费一点置办酒食祭品的资财罢了。然而这种花费，并非就像倾倒在脏水沟那样白白丢掉，而是可以让宗族和乡亲们都可以得到饮食。即便鬼神确实不存在，这种活动也可以联欢聚会，让乡里人亲密。

今执无鬼者言曰：鬼神者固请无有，是以不共其酒醴粢盛牺牲之财。吾非乃今爱其酒醴粢盛牺牲之财乎？其所得者臣将何哉？此上逆圣王之书，内逆民人孝子之行，而为上士于天下，此非所以为上士之道也。是故子墨子曰：今吾为祭祀也，非直注之污壑而弃之也，上以交鬼之福，下以合驩聚众，取亲乎乡里。若神有，则是得吾父母弟兄而食之也，则此岂非天下利事也哉？是故子墨子曰："今天下之王公大人士君子，中实将欲求兴天下之利，除天下之害，当若鬼神之有也，将不可不尊明也，圣王之道也。

【译文】

如今坚持无鬼论的人说：鬼神原本就不存在，所以不必供给那些酒食祭品牺牲而花费钱财。我现在难道是爱惜那些用于置备酒食祭品牺牲的财物吗？而是在于我能从祭祀中得到什么？这个说法对上违背圣王的教导，对内违背民众孝子的品行，却想做天下的高尚人士，这确实不是做高尚人士的方法。所以墨子说：如今我们祭祀，并非把食物倒在沟里白白丢掉，对上是在向鬼神祈福，对下是在集合民众欢会，联络乡里人的感情。如果鬼神存在，那这就是请我们的父母兄弟前来饮食，这难道不是有利于天下的事吗？所以墨子说：现在普天下的王公大臣士君子们，心中如果的确想兴天下之利益，除去天下之祸害，那么对于鬼神确实存在这件事，就不能不加以尊重，这便是圣王的大道。

非乐上

【题解】

这是一篇反对从事音乐活动的文章。这个观点，如果从现代的角度来看，确实有一点不近人情，音乐是精神食粮，人吃饱喝足，从事一下音乐享受，放松一下又有可不何呢？然而，站在墨子的时代，这却是有现实意义的。那个时候，生产力低下，人类为生存而挣扎，老百姓经常忍饥挨饿，如果上位者再沉迷于音乐，就会聚敛百姓的钱财，荒废百姓的生产，真可以说是玩物丧志了。

子墨子言曰：仁之事者①，必务求兴天下之利，除天下之害，将以为法乎天下。利人乎，即为；不利人乎，即止。且夫仁者之为天下度也，非为其目之所美，耳之所乐，口之所甘，身体之所安，以此亏夺民衣食之财，仁者弗为也。是故子墨子之所以非乐者，非以大钟、鸣鼓、琴瑟，竽笙之声以为不乐也；非以刻镂华②文章之色以为不美也；非以犓豢煎炙之味以为不甘也；非以高台厚榭邃野③之居以为不安也。虽身知其安也，口知其甘也，目知其美也，耳知其乐也，然上考之不中圣王之事，下度之不中万民之利，是故子墨子曰：为乐，非也。

【注释】

①仁之事者：当为“仁者之事”。

②华：疑为衍字。

③野：通“宇”，指房屋。

【译文】

墨子说：仁者做事，一定讲求兴盛天下的利益，为天下除去祸害，把这个作为天下的行为准则。对人有利的就去做，对人不利的就停止。而且，仁者为天下人考虑，并非是为了眼睛能见到美丽的东西，耳朵能听到欢乐的声音，嘴巴能尝到美味，身体感到安适，如果是为了这些来掠取民众的衣食财物，仁者是不会做的。所以，墨子反对音乐的原因，并非认为大钟、响鼓、琴瑟、竽笙的声音不好听，并非认为雕刻、纹饰的色彩不美丽，并非认为煎炙的牲畜的味道不香甜，并非认为居住在高台厚榭深远的屋子里不舒适。虽然身体知道舒适，嘴里知道香甜，眼睛知道美丽，耳朵知道好听，然而向上不符合圣王的事迹，向下不符合万民的利益，所以墨子说：从事音乐是错误的。

今王公大人，虽无造为乐器，以为事乎国家，非直掊潦水[1]，折壤坦[2]而为之也，将必厚措敛乎万民，以为大钟、鸣鼓、琴瑟、竽笙之声。古者圣王亦尝厚措敛乎万民，以为舟车，既以成矣，曰："吾将恶许[3]用之？曰：舟用之水，车用之陆，君子息其足焉，小人休其肩背焉。"故万民出财赍而予之，不敢以为戚恨者，何也？以其反中民之利也。然则乐器反中民之利亦若此，即我弗敢非也。然则当用乐器譬之若圣王之为舟车也，即我弗敢非也。

【注释】

①潦水：积水。

②折壤坦：疑为"拆坏垣"。

③恶许：何所。

【译文】

如今的王公大臣们，把制造乐器当成国事，并非就像取点路上的积水、拆开土墙那样容易，而一定是向万民征取极多的钱财，用来制造大钟、响鼓、琴瑟、竽笙。古代圣王也曾向万民征取极多的钱财，用来制造船和车，造成以后，说：“我将要用它们做什么呢？船用在水里，车用在地上，君子可以休息双脚，百姓可以休息肩背。”因此，万民都拿出钱财来，不敢对此有所忧恨，这是什么原因呢？因为这符合民众的利益。如果乐器也这样符合民众的利益，那么我不敢反对。如果像圣王使用船和车那样使用乐器，我对此不敢反对。

民有三患：饥者不得食，寒者不得衣，劳者不得息。三者民之巨患也。然即当为之撞巨钟、击鸣鼓、弹琴瑟、吹竽笙而扬干戚，民衣食之财将安可得乎？即我以为未必然也。意舍此。今有大国即攻小国，有大家即伐小家，强劫弱，众暴寡，诈欺愚，贵傲贱，寇乱盗贼并兴，不可禁止也。然即当为之撞巨钟、击鸣鼓、弹琴瑟、吹竽笙而扬干戚，天下之乱也，将安可得而治与？即我未必然也。是故子墨子曰：姑尝厚措敛乎万民，以为大钟、鸣鼓、琴瑟、竽笙之声，以求兴天下之利，除天下之害，而无补也。

【译文】

百姓有三种忧患：饥饿的人得不到食物，寒冷的人得不到衣服，劳累的人得不到休息。这三样是百姓最大的忧患。那么为他们撞巨钟，敲鸣鼓，弹琴瑟，吹竽笙，舞动干戚，百姓的衣食财物就能得到满足吗？我认为并非如此。我们先不谈这个。如今大国攻打小国，大家族攻打小家族，强者欺凌弱者，人多的欺压人少的，多智的欺骗愚笨的，高贵的鄙视贫贱的，寇乱盗贼同时兴起却不能禁止。如果为他们撞巨钟，敲鸣鼓，弹琴瑟，吹竽笙，舞动干戚，普天下的混乱就能得到治理吗？我认为并非如此。所以墨子说：如果向万民征敛很多钱财，用来制作大钟、鸣鼓、琴瑟、竽笙，以求有兴盛天下的利益，为天下除去祸害，是于事无补的。

是故子墨子曰：为乐非也。今王公大人，唯毋处高台厚榭之上而视之，钟犹是延鼎[①]也。弗撞击，将何乐得焉哉？其说将必撞击之。惟勿撞击，将必不使老与迟者。老与迟者耳目不聪明，股肱不毕强，声不和调，明不转朴[②]。将必使当年，因其耳目之聪明，股肱之毕强，声之和调，眉之转朴。使丈夫为之，废丈夫耕稼树艺之时；使妇人为之，废妇人纺绩织纴之事。今王公大人唯毋为乐，亏夺民衣食之财，以拊乐如此多也。

【注释】

①延鼎：覆倒之鼎。

②朴：应为“行”字。

【译文】

所以墨子说：制作音乐是错误的。如今的王公大臣，从高台厚榭上看下去，乐钟犹如倒扣着的鼎一般，如果不撞击它，怎么会听到音乐呢？所以一定要撞击它。只要是撞击，就不会使用老人和孩子。老人与孩子，耳不聪目不明，四肢不健壮，声音不协调，眼神不灵敏。因此一定要使用壮年人，因为他们耳聪目明，四肢强壮，声音调和，眼神敏锐。如果用壮年男子撞钟，就会浪费他们耕田种植的时间；如果让女人撞钟，就会荒废她们纺纱织布的时间。如今的王公大臣为了音乐，掠夺百姓的衣食财物，用于敲击乐器已经是如此普遍了。

是故子墨子曰：为乐非也。今大钟、鸣鼓、琴瑟、竽笙之声既已具矣，大人锈然奏而独听之，将何乐得焉哉？其说将必与贱人，不与君子。与君子听之，废君子听治；与贱人听之，废贱人之从事。今王公大人惟毋为乐，亏夺民之衣食之财，以拊乐如此多也。

【译文】

所以墨子说：从事音乐是错误的。如今大钟、响鼓、琴瑟、竽笙的乐声都已经齐备了，那些大人们独自安静地享受音乐，能够得到什么乐趣呢？所以说不是和平民一起听，就是和君子一起听。和君子一起听，就会荒废君子治理公务；与平民一起听，就会荒废平民的劳作。如今王公大人，为了音乐，掠夺民众的衣食财物已经是如此普遍了。

是故子墨子曰：为乐非也。昔者齐康公兴乐万①，万人不可衣短褐，不可食糠糟。曰：食饮不美，面目颜色不足视也；衣服不美，身体从容丑羸，不足观也。是以食必粱肉，衣必文绣，此掌②不从事乎衣食之财，而掌食乎人者也。是故子墨子曰：今王公大人，惟毋为乐，亏夺民衣食之财以拊乐如此多也。

【注释】

①乐万：音乐名和舞蹈名。

②掌：通“常”。

【译文】

所以墨子说：从事音乐是错误的。当初齐康公喜欢一种名为“乐万”的舞曲，演奏的人不能穿粗布衣服，不能吃粗糙的粮食。说：饮食不精，脸上的色泽就不值得看了；衣服不美，身体的动作就不值得看了。因此吃的一定是好饭和好肉，穿的一定是绣有花纹的衣裳。这些人不从事生产衣食财物，只能靠别人供给。所以墨子说：如今王公大臣，为了音乐，掠夺民众的衣食财物已经非常普遍了。

是故子墨子曰：为乐非也。今人固与禽兽、麋鹿、蜚[①]鸟、贞[②]虫异者也。今之禽兽、麋鹿、蜚鸟、贞虫，因其羽毛以为衣裘，因其蹄蚤[③]以为绔屦，因其水草以为饮食。故唯使雄不耕稼树艺，雌亦不纺绩织纴，衣食之财固已具矣。今人与此异者也：赖其力者生，不赖其力者不生。君子不强听治，即刑政乱；贱人不强从事，即财用不足。今天下之士君子，以吾言不然，然即姑尝数天下分事，而观乐之害。王公大人蚤朝晏退，听狱治政，此其分事也；士君子竭股肱之力，亶其思虑之智，内治官府，外收敛关市、山林、泽梁之利，以实仓廪府库，此其分事也；农夫蚤出暮入，耕稼树艺，多聚叔粟，此其分事也；妇人夙兴夜寐，纺绩织纴，多治麻丝葛绪细布缪[④]，此其分事也。今惟毋在乎王公大人说乐而听之，即必不能蚤朝晏退，听狱治政，是故国家乱而社稷危矣；今惟毋在乎士君子说乐而听之，即必不能竭股肱之力，亶其思虑之智，内治官府，外收敛关市、山林、泽梁之利，以实仓廪府库，是故仓廪府库不实；今惟毋在乎农夫说乐而听之，即必不能蚤出暮入，耕稼树艺，多聚叔粟，是故叔粟不足；今惟毋在乎妇人说乐而听之，即不必[⑤]能夙兴夜寐，纺绩织纴，多治麻丝葛绪细布缪，是故布缪不兴。曰：孰为大人之听治而废国家之从事？曰：乐也。

【注释】

①蜚：通“飞”。

②贞：通“征”，贞虫即爬虫。

③蚤：即“爪”。

④缘：当为“缲”，绢帛。

⑤不必：当为“必不”。

【译文】

因此墨子说：从事音乐是错误的。如今我们人类本来就不同于禽兽、麋鹿、飞鸟和爬虫。那些禽兽、麋鹿、飞鸟和爬虫，用它们的羽毛做衣服，用它们的蹄爪做鞋袜，以水草作为饮食。所以虽然雄的不用耕田种菜植树，雌的也不用纺纱绩麻织布，衣食财物原本就已经具备了。然而，我们却与它们不同：只有依靠自己的劳力方能生存，不依靠自己的劳力就无法生存。如果君子不尽力理政治国，刑罚政令就会混乱；平民不尽力从事生产，财务用度就不会充足。如果普天下的士人君子们认为说的不对，那么姑且列举天下人分内的事，来考察音乐的害处。王公大臣早朝晚退，理政治国，这是其分内的事。士人君子，竭尽全身的力量，用尽智力，对内治理官府，对外向关市、山林、河桥征收赋税，以充实粮仓府库，这是其分内的事。农夫们早出晚归，耕作种植，多收获豆子和粮食，这是其分内的事。妇女们早起晚睡，纺纱织布，多生产麻丝、葛衣、苎麻，纺织布匹，这是其分内的事。如果王公大臣们喜欢音乐而去听它，就一定不能早朝晚退，理政治国，于是国家就会陷入混乱，社稷就危险了。如果士人君子们喜欢音乐而去听它，就一定不能竭尽全身的力量，用尽智力，对内治理官府，对外向关市、山林、河桥征收赋税，以充实粮仓府库。结果粮仓府库就不会充实。如果农夫们喜欢音乐而去听它，就一定不能早出晚归，耕作种植，多收获豆子和粮食，于是豆子和粮食就会不够吃。如果妇女们喜欢音乐而去听它，就一定不能早起晚睡，纺纱织布，多生产麻丝、葛衣、苎麻，织成布匹，结果布匹就不够。试问：究竟是谁让大人们荒废了国事，让平民荒废了工作呢？我的回答是：音乐。

是故子墨子曰：为乐非也。何以知其然也？曰：先王之书，汤之《官刑》有之，曰："其恒舞于宫，是谓巫风。其刑，君子出丝二卫[①]，小人否，似二伯[②]。"《黄径》乃言曰："呜乎！舞佯佯，黄[③]言孔章。上帝弗常，九有以亡；上帝不顺，降之百舛[④]，其家必坏丧。"察九有之所以亡者，徒从饰乐也。于《武观》曰："启乃淫溢康乐，野于饮食，将将铭，苋[⑤]磬以力，湛浊于酒，渝食于野，万舞翼翼[⑥]，章闻于大，天用弗式[⑦]。"故上者天鬼弗戒[⑧]，下者万民弗利。是故子墨子曰：今天下士君子，请将欲求兴天下之利，除天下之害，当在乐之为物，将不可不禁而止也。

【注释】

①卫：为"束"之音借字。

②伯："帛"之音借字。

③黄：即"簧"，大竹。

④舛：同"殃"。

⑤苋：当为"筦"，笛子。

⑥翼翼：盛大的样子。

⑦弗式：不以为常规。

⑧戒：应该为"式"，法式标准。

【译文】

所以墨子说：从事音乐是错误的。如何知道是这样的呢？说：先王的书，商汤作的《官刑》有这样的记载，说："常在宫中跳舞，就叫作巫风。对此的处罚是：君子交出二束丝，小人加倍，交出二匹帛。"《黄径》中也说："哎呀！舞蹈繁多，乐声响亮。然而上天不保佑，九州就将灭亡。上天不答应，就会降下各种灾祸，他的家族一定会要灭亡。"纵观九州灭亡的原因，就是因为沉迷于音乐啊。在《武观》上说："夏启纵乐放荡，在野外随意饮酒，万舞的场面极其盛大，响彻天上，上天于是不把它当作法度。”所以上天鬼神不以之为法度，下面的万民认为对他们没有利益。所以墨子说：如今天下的士人君子们，如果诚心要为天下人谋利益，为天下人除祸害，对音乐这件事就不能不禁止。

非命中

【题解】

所谓“非命”，就是反对天命论，这是墨家极其卓越的观点之一。在墨子看来，天命论实际上是那些暴君为了自己的政治目的捏造出来，用以迷惑百姓。这样一来，他们就为自己的暴戾找到了借口，同时也让老百姓心甘情愿地接受自己受压迫的命运。在这一篇中，作者从自古没有人见过“命”展开论据，层层推进，最终得出天命是天下大害的观点，号召大家来反对它。

子墨子言曰：凡出言谈、由①文学之为道也，则不可而不先立义法。若言而无义，譬犹立朝夕于员②钧之上也，则虽有巧工，必不能得正焉。然今天下之情伪，未可得而识也，故使言有三法。三法者何也？有本之者，有原之者，有用之者。于其本之也，考之天鬼之志、圣王之事；于其原之也，征以先王之书；用之奈何，发而为刑。此言之三法也。

【注释】

①由：当作“为”。

②员：当为“运”。

【译文】

墨子说：凡是发表言论、撰写文章的原则，不可不先树立一个标准。如果言论没有标准，就如同把测时仪器放在转动的陶轮上，这样即使工匠的技艺再精湛，也不可能得到测定准确的时间。然而如今世上的真假，无法得到辨识，所以言论要有三种准则。都有哪三种准则呢？考察本源，审查事故，实践应用。考察言论本源的方法，是用上天鬼神的意志和圣王的事迹。审查事故的方法，是用先王的书来验证。将言论付诸实践，就是用它来治刑施政。这就是言论的三个标准。

今天下之士君子，或以命为亡。我所以知命之有与亡者，以众人耳目之情，知有与亡。有闻之，有见之，谓之有；莫之闻，莫之见，谓之亡。然胡不尝考之百姓之情？自古以及今，生民以来者，亦尝见命之物，闻命之声者乎？则未尝有也。若以百姓为愚不肖，耳目之情不足因而为法，然则胡不尝考之诸侯之传言流语乎？自古以及今，生民以来者，亦尝有闻命之声，见命之体者乎？则未尝有也。

【译文】

如今天下的士人君子们，有人认为天命是没有的。我所以知道天命有无，是根据众人耳闻目见的实情。有人听过它，有人见过它，这才叫作“有”；没人听过，没人见过，那就叫作“没有”。那么，我们为何不试着用百姓的实情来考察一番呢？从古至今，自有人类以来，有谁曾经见过命是什么，听过命的声音吗？从来没有。如果觉得百姓愚蠢无能，耳闻目睹的实情不能作准，那么为何不试着考察诸侯所流传的话呢？从古至今，自有人类以来，有哪个诸侯曾听过命的声音，见过命的形体吗？从来没有。

然胡不尝考之圣王之事？古之圣王，举孝子而劝之事亲，尊贤良而劝之为善，发宪布令以教诲，明赏罚以劝沮。若此，则乱者可使治，而危者可使安矣。若以为不然，昔者桀之所乱，汤治之；纣之所乱，武王治之。此世不渝而民不改，上变政而民易教，其在汤武则治，其在桀纣则乱，安危治乱，在上之发政也，则岂可谓有命哉！夫曰有命云者，亦不然矣。

【译文】

那么，为何不考察圣王之事迹呢？上古圣王，推举孝子来鼓励他侍奉双亲，尊重贤良来鼓励他多做善事，颁发宪令以教诲百姓，严明赏罚以劝善止恶。这样一来，就可以治理混乱，让危难转为安定。如果认为不是这样，那么从前夏桀所搞乱的，被商汤治理了；商纣所搞乱的，被周武王治理了。这个世界不变，百姓不变，君王改变政令百姓就容易教导了。在商汤和武王时就能得到治理，在夏桀和商纣时就会变得混乱。安定危难治理混乱，原因就在于君王发布的政令，怎么能说有天命呢？那些说有天命的，并非如此。

今夫有命者言曰：我非作之后世也，自昔三代有若言以传流矣。今故[①]先生对[②]之？曰：夫有命者，不志昔也三代之圣善人与？意亡昔三代之暴不肖人也？何以知之？初之列士桀[③]大夫，慎言知[④]行，此上有以规谏其君长，下有以教顺其百姓，故上得其君长之赏，下得其百姓之誉。列士桀大夫声闻不废，流传至今，而天下皆曰其力也，必不能曰我见命焉。

【注释】

①故：应为“胡”。

②对：即“怼”，愤恨。

③桀：通“杰”。

④知：当作“疾”。

【译文】

如今持天命论的人说：这并非是我们后世创作的说法，自从当初三代圣王时就有这种言论流传了。先生您为何这样痛恨它呢？墨子说：持天命论的人，不知道是三代时的圣人和善人呢？还是三代时的残暴不贤之人？如何知道是这样的呢？当时那些有功之士和杰出的大夫，言语谨慎，行动敏捷，对上能规劝进谏君王，对下能教化百姓，所以上能得到君王的称赞，下能得到百姓的爱戴。有功之士和杰出的大夫，他们的声名不会衰落，一直流传到今天，普天下的人都会说那是他们自己努力，一定不会说那是命运的安排。

是故昔者三代之暴王，不缪[①]其耳目之淫，不慎其心志之辟，外之驱骋田猎毕弋，内沉于酒乐，而不顾其国家百姓之政。繁为无用，暴逆百姓，使下不亲其上，是故国为虚厉[②]，身在刑僇之中，不肯曰：“我罢不肖，我为刑政不善。”必曰：“我命故且亡。”虽昔也三代之穷民，亦由此也。内之不能善事其亲戚，外不能善事其君长，恶恭俭而好简易，贪饮食而惰从事，衣食之财不足，使身至有饥寒冻馁之忧，必不能曰：“我罢不肖，我从事不疾。”必曰：“我命固且穷。”虽昔也三代之伪民，亦犹此也。繁饰有命，以教众愚朴人久矣。

【注释】

①缪：“纠”的假借字。

②厉：即灭绝后代的意思。

【译文】

所以，当初三代的暴君，不纠正他们的声色欲望，不谨慎地对待他们内心的邪念，在外驱车打猎射鸟，于内沉迷于酒色，而不去顾及国家和百姓的政事。大量去做没用的事情，对百姓凶暴，让下面的人不敬重居上位的人，所以国家空虚，百姓绝后，自己也遭到刑戮的惩处，即使如此还不肯说一句："我疲懒无能，我没做好刑法政务。"一定要说："我命中注定要灭亡。"即使是当初三代时的贫民也都这样说。他们对内不能好好对待双亲，于外不能好好敬奉君王，厌恶恭敬勤俭却喜好轻慢无礼，贪图饮食而懒于劳作生产，于是衣食财物不充足，产生饥寒冻馁的忧患，他们一定不会说："我疲懒无能，不能勤快地劳作生产。"必定会说："我命中注定要贫穷。"即使是三代伪诈之人，也全都这样说。这些人粉饰天命之说，用来教唆愚笨朴实的百姓已经很久了。

圣王之患此也，故书之竹帛，琢之金石。于先王之书《仲虺之告》曰："我闻有夏人矫天命，布命于下，帝式是恶，用阙师。"此语夏王桀之执有命也，汤与仲虺共非之。先王之书《太誓》之言然，曰："纣夷之居[①]，而不肯事上帝，弃阙其先神而不祀也，曰：我民有命，毋僇其务。天不亦弃纵而不葆。"此言纣之执有命也，武王以《太誓》非之。有于三代不[②]国有之曰："女毋崇天之有命也。"命三不国亦言命之无也。于召公之《执令》于然，且："敬哉！无天命，惟予二人。而无造言不自降天之哉得之。"在于商、夏之诗书曰："命者，暴王作之。"且今天下之士君子，将欲辩是非利害之故，当天有命者，不可不疾非也。执有命者，此天下之厚害也，是故子墨子非也。

【注释】

①居：疑为"虐"。

②不：疑作"百"。

【译文】

圣王对这件事感到担忧，于是便把它写在竹帛上，刻在金石上。在先王之书《仲虺之告》里说："我听闻夏人假借天命，宣布天命于世，于是上天痛恨他，就让他的军队覆灭。"这里说的是夏王桀主张天命论，商汤和仲虺共同批驳他。先王之书《太誓》也这样认为，说："纣王夷灭酷虐，不肯侍奉上天，抛弃祖先和神灵不去祭祀，说：我乃天命所归，不改正错误。于是上天便抛弃他不保佑他。"这里说的是商纣王主张天命论，周武王作《太誓》来批驳他。在三代百国之书上也有类似的话，说："你们不要崇奉有天命。"由此可见，三代百国也都说没有天命。在召公的《执令》中也是如此，说："要虔敬啊！没有天命，只有我们两个人，吉利不是上天降下的，而是我们自己创造的。"考察在商夏时代的诗书，其中说："天命是凶暴的君王捏造的。"如今天下的士人君子们，如果想要辨明是非利害的原因，对于主张天命论的人，就不能不赶紧批驳。主张天命论的人，是天下的大害，所以墨子反对他们。

非儒下

【题解】

本篇主要是批驳儒家的礼义思想。前半段主要是批评儒家主张，比如久丧不葬，相信天命，倡导古言古服，在战场上假仁假义等。后半段主要是批判孔子，通过晏子之口，讽刺孔子与君与民都是口头上讲仁义，实际上鼓励叛乱，惑乱人民。本篇反映了儒、墨两家在思想认识上的激烈冲突。不过有学者认为，此篇是墨家后学所作，因为墨子本人是非儒不非孔的。

儒者曰："亲亲有术[①]，尊贤有等。"言亲疏尊卑之异也。其《礼》曰："丧父母三年，妻、后子三年，伯父叔父弟兄庶子其[②]，戚族人五月。"若以亲疏为岁月之数，则亲者多而疏者少矣，是妻、后子与父同也。若以尊卑为岁月数，则是尊其妻子与父母同，而亲伯父宗兄而卑子[③]也，逆孰大焉？其亲死，列尸弗敛，登屋，窥井，挑鼠穴，探涤器，而求其人焉。以为实在则戆愚甚矣；如其亡也，必求焉，伪亦大矣！

【注释】

①术：即"杀"，差别。

②其：通"期"，一年。

③卑子：庶子。

【译文】

儒家说："爱亲人有差别，尊敬贤人有等级。"意思是说亲疏尊卑是应该有差异的。《仪礼》中说：为父母守丧是三年，妻子和长子三年，伯父、叔父、兄弟、庶子一年，亲戚族人五个月。如果用亲疏来确定守丧的时间，应当是亲近的多疏远的少，那么就是妻子、长子和父母是相同的。如果用尊卑来确定服丧的时间，那么就是将妻子和儿子看作父母一样的尊贵，却把伯父、宗兄和庶子看作一样，还有比这大逆不道的事吗？一个人的亲人死了，陈放尸体不装殓，上屋顶、看水井、挖鼠穴、探看涤器，来为先人招魂魄。如果认为灵魂还在那这样做就太愚蠢了；如果知道灵魂是没有了，还一定要这样招魂，那就太虚假了。

取妻，身迎，祗褍[①]为仆，秉辔授绥，如仰严亲；昏礼威仪，如承祭祀。颠覆上下，悖逆父母，下则[②]妻子，妻子上侵事亲，若此可谓孝乎？儒者：迎妻，妻之奉祭祀，子将守宗庙，故重之。应之曰：此诬言也。其宗兄守其先宗庙数十年，死丧之其，兄弟之妻奉其先之祭祀弗散[3]，则丧妻、子三年，必非以守奉祭祀也。夫忧[4]妻、子以大负絫，有曰“所以重亲也”，为欲厚所至私，轻所至重，岂非大奸也哉！

【注释】

①祇褍：即“缁袘”假借字，端正。

②则：当为“列”。

③散：当为“服”。

④忧：通“优”，优待。

【译文】

娶妻之时，男子要亲自迎接，态度恭敬端正像仆人一样为她驾车，登车用的缰绳递给新娘，就如同承奉父亲一样；婚礼中的仪式隆重，就如同恭敬地祭祀一般。如此上下颠倒，悖逆父母，将其降低到妻、子的位置，把妻、子的地位抬高到父母的位置，这样能叫作孝吗？儒家说：这样迎娶妻子，是因为妻子要供奉祭祀，长子要守宗庙，所以看重迎接的仪式。照我说：这简直是胡言乱语！他的宗兄守祖先的宗庙几十年，死后只为他守一年的丧；兄弟的妻子供奉祖先的祭祀，死后不为她们守一天丧，却为自己的妻子和长子守三年丧，这必定不是因为他们守奉祖先的祭祀。因为优待妻子和长子而服三年丧，还要说什么“这是为了看重亲人”，想厚待所偏爱的人，便轻视重要的人，这难道不是太奸诈了吗？

有强执有命以说议曰：寿夭贫富，安危治乱，固有天命，不可损益。穷达赏罚幸否有极，人之知力，不能为焉！群吏信之，则怠于分职；庶人信之，则怠于从事。吏不治则乱，农事缓则贫，贫且乱政之本[1]，而儒者以为道[2]教，是贼天下之人者也。

【注释】

①政之本：前脱一“倍”字。

②道：引导。

【译文】

那些固执地坚持天命论的人说：寿命长短贫穷富贵，安定危难太平混乱，原本就有天命，不能减少也不能增加。穷困通达奖赏处罚幸运倒霉全部都有定数，人的知识和力量，是不可能改变的。如果官吏们相信了这个话，那么对分内的事就会懈怠；如果普通人相信了这个话，那么对劳作就会懈怠。官吏不治政国家就要混乱，农事懈怠百姓就要贫困，贫困是政治混乱的根本，但儒家却把它当作教导，真的是残害天下的人啊。

且夫繁饰礼乐以淫人，久丧伪哀以谩亲，立命缓贫而高浩居，倍本弃事而安怠傲，贪于饮食，惰于作务，陷于饥寒，危于冻馁，无以违之。是若人气[①]，鼸鼠藏，而羝羊视，贲彘起。君子笑之，怒曰：“散人！焉知良儒。”夫夏乞麦禾，五谷既收，大丧是随，子姓皆从，得厌饮食。毕治数丧，足以至矣。因人之家翠以为，恃人之野以为尊[②]，富人有丧，乃大说，喜曰：“此衣食之端也。”

【注释】

①人气：当作“乞人”。

②尊：同“樽”，酒器。

【译文】

儒家用繁杂的礼乐来迷乱人，用长期服丧假装哀伤来欺骗亲人，设立天命论来让人们安于贫困并且态度傲慢，背本弃事而安于懈怠，贪图饮食，懒于劳作，于是遭受饥寒，有冻饿而死的危险，没有办法摆脱。只能像乞丐一样，像田鼠一样偷藏食物，像公羊一样贪婪地看着，像野猪一样跃起。如果君子嘲笑他们，就发怒说：“你们这些普通人！如何知道贤良的儒士呢。”夏天乞食麦子和稻子，五谷都收获之后，就有人大办丧事，于是便带着子孙都跟着去，吃饱喝足，办完了几次丧事之后，家用就足够了。依仗人家的丧事而尊贵，鉴别人田里的米麦来酿酒，富人家里有了丧事就非常高兴，说：“这是衣食的来源啊！”

儒者曰：君子必服古言[①]然后仁。应之曰：所谓古之言服者，皆尝新矣。而古人言之，服之，则非君子也。然则必服非君子之服，言非君子之言，而后仁乎？又曰：君子循而不作。应之曰：古者羿作弓，伃作甲，奚仲作车，巧垂作舟，然则今之鲍[②]、函、车、匠皆君子也，而羿、伃、奚仲、巧垂皆小人邪？且其所循，人必或作之，然则其所循皆小人道也？

【注释】

①服古言：当作“古服言”。

②鲍：通“鞄”，制造柔革的工人。

【译文】

儒家讲：君子必须说古代的话，穿古代的衣服才能算作仁者。照我说：所谓古代的话、古代的衣服，在当时都曾经是新的。而古代人说穿它，就不是君子了。那么，必须穿不是君子的衣服，说不是君子的话，才能成为仁者吗？又说什么：君子只遵循前人做的而不创新。照我说：古时后羿制造了弓，季伃制造了甲，奚仲制造了车，巧垂制造了船。那么，当今的鞋工、甲工、车工、木工，他们都是君子，而当初的后羿、季伃、奚仲和巧垂全部都是小人吗？而且，凡是人们遵循的事，一定是有人开创的，那么君子所遵循的都是小人之道吗？

又曰：君子胜不逐奔，揜函弗射①，施则助之胥车。应之曰：若皆仁人也，则无说而相与。仁人以其取舍是非之理相告，无故从有故也，弗知从有知也，无辞必服，见善必迁，何故相？若两暴交争，其胜者欲不逐奔，揜函弗射，施则助之胥车，虽尽能犹且不得为君子也。意暴残之国也，圣将为世除害，兴师诛罚，胜将因用儒术令士卒曰："毋逐奔，揜函勿射，施则助之胥车。"暴乱之人也得活，天下害不除，是为群②残父母，而深贱世也，不义莫大焉！

【注释】

①揜函弗射：敌人困急便不忍心去射他。函，陷阱。

②群：大。

【译文】

又说：君子打了胜仗不追赶逃兵，对于身陷险境的敌人不拉弓射他们，敌人败走还应帮助他们推车。照我说：如果双方都是仁者，就不会相互敌对。仁者把自己取舍是非的道理说出来，没有道理的跟有道理的走，无知的跟知道的走，说不出理由的一定折服，看到好的一定依从，怎么还会有相互之间的纷争呢？如果双方是暴人相争，战胜的不追赶逃兵，拉弓不射陷在困境的敌人，敌人陷了车还要帮助推，即使这些事全部都做了也不能算作君子。对于残暴的国家，圣王将为世上除害，兴师诛伐，战胜了就用儒家方法对士卒下令说："不要追赶逃敌，不要射身陷困境的敌人，敌车陷了要帮助推。"这样一来，暴乱之人就能够活命，天下大害不能除去，这是大大的残害父母，深重地残害社会，不仁义之举没有比这更大的了！

又曰：君子若钟，击之则鸣，弗击不鸣。应之曰：夫仁人事上竭忠，事亲得孝，务善则美，有过则谏，此为人臣之道也。今击之则鸣，弗击不鸣，隐知豫力，恬漠待问而后对，虽有君亲之大利，弗问不言，若将有大寇乱，盗贼将作，若机辟将发也，他人不知，己独知之，虽其君亲皆在，不问不言，是夫大乱之贼也！以是为人臣不忠，为子不孝，事兄不弟，交，遇人不贞良。夫执后不言之朝物，见利使己，虽恐后言。君若言而未有利焉，则高拱下视，会噎为深，曰："唯其未之学也。"用谁急，遗行远矣。夫一道术学业仁义也，皆大以治人，小以任官，远施周偏，近以修身，不义不处，非理不行，务兴天下之利，曲直周旋，利则止，此君子之道也。以所闻孔某之行，则本与此相反谬也。

【译文】

又说：君子就像钟一样，敲就响，不敲就不响。照我看：仁人事上尽忠，事亲尽孝，君主行善政就赞美，有过错就谏阻，这才是人臣之道。如果敲才响，不敲不响，隐藏自己的智谋懒于出力，冷淡地等待君王发问之后才回答，即使对君亲有大利益，也不问不说，如果将发生大的寇乱，盗贼将要兴起，就如同机关一触即发，别人不知道，只有自己知道，即使君亲都在，仍然不问不说，这就已经是制造大乱的贼子了。用这种态度做臣子就是不忠，做儿子就是不孝，事奉兄长就是不恭顺，对待别人就是不贞良。如果遇事持后退不言的态度，到朝廷上看到对自己有利的事情，唯恐说得比别人慢。如果君王说的事对自己没利，就高拱双手，低头向下看，如同饭塞在嘴里一样，说："我没有学过。"虽然君王急于用他，而他却已经远远地躲开。举凡道术和学业都统一于仁义，都是大则以治人，小则以任官，远的博施，近的修身，不义的地方就不居住，无理的事情的就不去做，一定要追求举盛天下的利益兴天下之利，回旋曲直也要达到目的，如果没有利的就要停止，这才是君子之道。从我所听说的孔某人的行为，就根本是和这个相反的。

齐景公问晏子曰："孔子为人何如？"晏子不对。公又复问，不对。景公曰："以孔某语寡人者众矣，俱以贤人也。今寡人问之，而子不对，何也？"晏子对曰："婴不肖，不足以知贤人。虽然，婴闻所谓贤人者，入人之国，必务合其君臣之亲，而弭其上下之怨。孔某之荆，知白公之谋，而奉之以石乞，君身几灭，而白公僇。婴闻贤人得上不虚，得下不危。言听于君必利人，教行下必于上，是以言明而易知也，行明而易从也，行义可明乎民，谋虑可通乎君臣。今孔某深虑同谋以奉贼，劳思尽知以行邪，劝下乱上，教臣杀君，非贤人之行也；入人之国而与人之贼，非义之类也；知人不忠，趣之为乱，非仁义之也。逃人而后谋，避人而后言，行义不可明于民，谋虑不可通于君臣，婴不知孔某之有异于白公也，是以不对。"景公曰："呜乎！贶寡人者众矣，非夫子，则吾终身不知孔某之与白公同也。"

【译文】

齐景公问晏子道："孔子这人怎样啊？"晏子不答。齐景公又问一次，仍然不答。景公便说道："向我说孔子的人很多，大家都以为他是贤人。现在我问你，你不作回答，这是为什么呢？"晏子回答道："我晏婴无能，不能够知道贤人。虽便如此，但我听说所谓贤人，进了一个国家，一定要使君臣的感情和睦，使上下的怨仇得到调解。孔子到了楚国，知道了白公的阴谋，却把石乞献给他，结果国君几乎身亡，而白公也被杀掉了。我听说贤人能够得到君王的信任却不贪图虚名；能够得到百姓的拥戴却不会危害君王。对君王讲话必定是对别人有利，教导百姓必定是对君王有利，所以言论明白容易被百姓知晓，行动明确容易跟从，奉行道义可让民众知道，考虑计策可让国君知道。现在孔子精心计划和叛贼同谋，竭尽心智以推行邪恶的事，鼓励百姓反抗君王，教唆臣子杀害国君，这并非贤人的行为啊；进入别人的国家却与叛贼结交，这不符合仁义；知道别人不忠诚，反而促成他叛乱，这不是仁义的行为啊。避开人在背后策划，躲开人在背后言说，奉行道义不能让民众知晓，谋划思考不能让君主知晓，我不知道孔子和白公有什么不同，所以没有回答。”景公叹道：“啊呀！向我进言的人很多，如果没有您，我终身都不知道孔子和白公是一路人。”

孔某之齐，见景公，景公说，欲封之以尼谿，以告晏子。晏子曰：“不可。夫儒浩居而自顺者也，不可以教下；好乐而淫人，不可使亲治；立命而怠事，不可使守职；宗①丧循②哀，不可使慈民；机服③勉容，不可使导众。孔某盛容修饰以蛊世，弦歌鼓舞以聚徒，繁登降之礼以示仪，务趋翔之节以观众，博学不可使议世，劳思不可以补民，絫寿不能尽其学，当年不能行其礼，积财不能赡其乐，繁饰邪术以营世君，盛为声乐以淫遇④民，其道不可以期⑤世，其学不可以导众。今君封之，以利齐俗，非所以导国先众。”公曰：“善！”于是厚其礼，留其封，敬见而不问其道。孔某乃恚，怒于景公与晏子，乃树鸱夷子皮于田常之门，告南郭惠子以所欲为，归于鲁。有顷，间齐将伐鲁，告子贡曰：“赐乎！举大事于今之时矣！”乃遣子贡之齐，因南郭惠子以见田常，劝之伐吴，以教高、国、鲍、晏，使毋得害田常之乱，劝越伐吴。三年之内，齐、吴破国之难，伏尸以言术⑥数，孔某之诛也。

【注释】

①宗：当作“崇”。

②循：当作“遂”。

③机服：应为“异服”。

④遇：通“愚”。

⑤期：当作“示”。

⑥术：通“率”。

【译文】

孔子去齐国，见到景公，景公非常高兴，想要把尼谿封赏给他，把这想法告诉晏子。晏子说：“不行。儒家的人傲慢而且自作主张，不能够教导下民；喜欢听音乐而使人倦怠于政务，不能让他们来治理国家；主张天命而懒于做事，不能让他们担任官职；崇尚举办丧事哀伤不止，不能让他们热爱百姓；穿着奇异的服装却做出庄重的表情，不能让他们引导众人。孔子极力修饰仪容以惑乱世人，用弦歌鼓舞来招集弟子，把登降的礼节变复杂来显示礼仪，努力追求各种礼节来让众人们观看，虽然学问广博却不能让他们言论世事，劳苦思虑却不能对民众有益，人们几辈子也学不完他们的学问，壮年人也无法奉行他们的礼节，积聚财产也不够供养他们享乐，多方装饰自己的邪说来迷惑当今的君主，大肆设置音乐来惑乱愚笨的百姓，他们的学术不可公布于众，他们的学说不可教导百姓。如果君王想要用封赏孔子来求得对齐国风俗有利，这并非引导民众的方法。”齐景公说：“好。”于是赠厚礼给他，而留下了封地，恭敬地接见他，却不问他的学说。孔子于是对齐景公和晏子很恼怒，于是就把范蠡推荐给田常，并且告诉南郭惠子自己想要做的一切，然后回到鲁国去了。过了一段时间，齐国将要攻打鲁国，于是就对子贡说：“赐，做大事的时候到了！”于是就派子贡去齐国，通过南郭惠子见到田常，劝他讨伐吴国，叫高氏、国氏、鲍氏、晏氏四个大族，不要妨碍田常作乱，又劝说越国攻伐吴国。三年之内，齐国和吴国都遭到了灭国之灾，死去的人难以计算，这些人都是孔子杀的呀。

孔某为鲁司寇，舍公家而奉季孙。季孙相鲁君而走，季孙与邑人争门关，决植。孔某穷于蔡、陈之间，藜羹不糂。十日，子路为享豚，孔某不问肉之所由来而食；号人衣以酤酒，孔某不问酒之所由来而饮。哀公迎孔某，席不端弗坐，割不正弗食，子路进，请曰：“何其与陈、蔡反也？”孔某曰：“来！吾语女，曩与女为苟生，今与女为苟义。”夫饥约则不辞妄取以活身，赢饱则伪行以自饰，污邪诈伪，孰大于此！

【译文】

孔子做鲁国司寇的时候，放弃国家利益去侍奉季孙氏。季孙氏身为鲁君的相国而逃亡，和城中之人争门栓，孔子打开城门放季孙逃走。孔子被困于陈蔡之间的时候，用野菜叶做的羹，里面看不到米粒。到了第十天，子路蒸了一头小猪，孔子不问肉是从何处来的就吃了；子路又剥下别人的衣服去沽酒，孔子也不问酒是从何处来的就喝了。后来，鲁哀公迎接孔子，席子摆得不正就不坐，肉切得不方正就不吃。子路上前请示说：“您现在为何与陈蔡时相反呢？”孔子说：“过来！我告诉你，当初我和你是为了求生，而现在和你是为了求义。”在饥饿之时就不惜妄取以求生，当饱食有余时就用虚伪的行为来粉饰自己，卑劣狡诈的行为，还有比这更大的吗？

孔某与其门弟子闲坐，曰：“夫舜见瞽叟孰然，此时天下圾乎！周公旦非其人也邪？何为舍亓[①]家室而托寓也？”孔某所行，心术所至也。其徒属弟子皆效孔某：子贡、季路辅孔悝乱乎卫，阳货乱乎齐，佛肸以中牟叛，桼雕刑残，莫大焉。夫为弟子后生，其师，必修其言，法其行，力不足、知弗及而后已。今孔某之行如此，儒士则可以疑矣。

【注释】

①亓：古“其”字。

【译文】

孔子和他弟子闲坐，说："舜见了自己的父亲瞽叟就踌躇不安，那时天下还真危险呀！周公旦大概不是仁义的人，否则为何舍弃自己的家室在外寄居呢？"孔子的行为，都出于他的心术。他的弟子们都效法他：子贡和季路辅佐孔悝在卫国作乱，阳货在齐国作乱；佛肸在中牟叛乱；漆雕刑杀残暴，没有比这更大的罪过了。举凡弟子对于老师，一定是学习他的言论，效法他的行为，直到自己力量不足、智力不及才停止。如今孔子的行为这样，那么一般儒士就值得怀疑了。

耕柱

【题解】

本篇取首句"耕柱"二字命篇，记述了墨子与弟子们的对话，所以大多为对话体。全篇的内容较广，观点也比较分散，以谈论"义"的言论最多，但各段的思想内容并不连贯。墨子认为，义是天下的珍宝，行义可以定国利民，所以他孜孜不倦地坚持行义。除此之外，还较多地论述了言与行的关系，否定了信口胡说的做法。

子墨子怒耕柱子，耕柱子曰："我毋俞①于人乎？"子墨子曰："我将上大行，驾骥与羊，子将谁驱？"耕柱子曰："将驱骥也。"子墨子曰："何故驱骥也？"耕柱子曰："骥足以责。"子墨子曰："我亦以子为足以责。"

【注释】

①俞：通"愈"，胜过。

【译文】

墨子责备耕柱子。耕柱子说：“我不是比别人强一些吗？”墨子问：“我如果要去太行山，用骏马或羊来驾车，你将驱策哪一种呢？”耕柱子说：“我将驱策骏马。”墨子问：“为什么你要驱策骏马呢？”耕柱子说：“因为骏马能够担当重任。”墨子说：“我原本也以为你能够担当重任。”

巫马子谓子墨子曰：“鬼神孰与圣人明智？”子墨子曰：“鬼神之明智于圣人，犹聪耳明目之与聋瞽也。昔者夏后开使蜚廉折金①于山川，而陶铸之于昆吾，是使翁难雉乙卜于白②若之龟，曰：‘鼎成三足而方，不炊而自烹，不举而自臧，不迁而自行，以祭于昆吾之虚，上乡③！’乙又言兆之由曰：‘飨矣！逢逢白云，一南一北，一西一东，九鼎既成，迁于三国。’夏后氏失之，殷人受之；殷人失之，周人受之。夏后、殷、周之相受也，数百岁矣。使圣人聚其良臣与其桀④相而谋，岂能智数百岁之后哉！而鬼神智之。是故曰：鬼神之明智于圣人也，犹聪耳明目之与聋瞽也。”

【注释】

①折金：采金，指开发金属矿藏。

②白：百的错字。

③上乡：即“尚飨”，祭祀之辞。

④桀：同“杰”。

【译文】

巫马子对墨子说：“鬼神和圣人谁更明智一些呢？”墨子说：“鬼神比圣人明智，就如同耳聪目明的人比聋盲之人明智一样。当初夏启派蜚廉到山川开采铜矿，在昆吾山铸了鼎，于是叫翁难乙用百灵龟来占卜，卜辞上说：‘鼎铸成了，三只足，方形，不用生火它自己会烹煮，不用放东西它自己就会有东西藏在里面，不用移动它自己就会行走，用它在昆吾之乡祭祀，请众神来享用祭品吧。'翁难乙又念卦上的卜辞，说：'鬼神已经享用。蓬蓬的白云，一会儿南一会儿北，一会儿西一会儿东，九鼎铸成之后，将要三代相传。'后来夏后氏失去了它，殷商人接受了；殷商人失去了，周朝人又接受了它。夏、商、周三代相继接受九鼎，已经传了几百年了，假如让圣人聚集贤臣，和他杰出的相国共同谋划，又如何能知道几百年之后的事情呢？然而，鬼神却能知道。所以说：鬼神比圣人明智，就如同耳聪目明的人比聋盲之人明智一样。"

治徒娱、县子硕问于子墨子曰："为义孰为大务？"子墨子曰："譬若筑墙然，能筑者筑，能实壤者实壤，能欣者欣[①]，然后墙成也。为义犹是也。能谈辩者谈辩，能说书者说书，能从事者从事，然后义事成也。"

【注释】

①欣：通"掀"，指挖土。

【译文】

治徒娱和县子硕问墨子说："从事仁义什么才是最重要的呢？"墨子说："这就如同筑墙一样，会筑土的人就筑土，会填土的人就填土，会挖土的人就挖土，然后城墙就可以筑成。从事仁义就是如此，会演说的人就演说，会解说典籍的人就解说典籍，会做事的人去做事，这样就可以做成仁义之事。"

巫马子谓子墨子曰："子兼爱天下，未云[①]利也；我不爱天下，未云贼也。功皆未至，子何独自是而非我哉？"子墨子曰："今有燎[②]者于此，一人奉水将灌之，一人掺火将益之，功皆未至，子何贵于二人？”巫马子曰：“我是彼奉水者之意，而非夫掺火者之意。”子墨子曰：“吾亦是吾意，而非子之意也。”

【注释】

①云：有。

②燎：放火。

【译文】

巫马子对墨子说：“您兼爱天下，没有什么利益；我不爱天下，也没有什么损害。功效全都没达到，你为何只认为自己正确而我不对呢？”墨子说：“比如有人在放火，其中一个人端着水想要浇灭它，而另有一个人去拿着火苗想要使它更旺，虽然都还没有成功，在这两个人里，你更看重哪一个呢？”巫马子说：“我觉得那个捧水人心意是对的，而那个拿火苗的人心意是错的。”墨子说：“我也认为我的心意是对的，而你的心意是错的。”

子墨子游荆耕柱子于楚，二三子过之，金食之三升，客之不厚。二三子复于子墨子曰：“耕柱子处楚无益矣。二三子过之，食之三升，客之不厚。”子墨子曰：“未可智也。”毋几何，而遗十金于子墨子，曰：“后生不敢死，有十金于此，愿夫子之用也。”子墨子曰：“果未可智也。”

【译文】

墨子推荐耕柱子到楚国去做官，有几个墨子弟子前去探望他，每次只给他们三升米吃，招待他们非常不优厚。于是这些人回来告诉墨子说：“耕柱子在楚国没有什么好处。我们去探望他，每餐只供给三升米吃，招待很不优厚。”墨子说：“还未可知。”没过多久，耕柱子赠送十镒黄金给墨子，说：“我不敢贪图财利以送死，这里有十镒黄金，请老师您使用它。”墨子说：“果然是未可知啊。”

巫马子谓子墨子曰：“子之为义也，人不见而耶[1]，鬼而[2]不见而富，而子为之，有狂疾！”子墨子曰：“今使子有二臣于此，其一人者见子从事，不见子则不从事；其一人者见子亦从事，不见子亦从事，子谁贵于此二人？”巫马子曰：“我贵其见我亦从事，不见我亦从事者。”子墨子曰：“然则，是子亦贵有狂疾也。”

【注释】

①耶：“助”字之讹。

②而：为衍字。

【译文】

巫马子对墨子说：“您奉行仁义，没有人看见而帮助你，也没有鬼神看见而降福于你，然而您却仍然这样做，这恐怕是有疯病吧！”墨子说：“假如你有两个臣子，其中一个见到你就做事，没见你就不做事；另外一个见到你做事，看不见你也做事，在这两人里，你更看重谁呢？”巫马子说：“我更看重那个见到我做事，看不见我也做事的人。”墨子说：“这样看来，你也是有疯病的人啊。”

子夏之徒问于子墨子曰：“君子有斗乎？”子墨子曰：“君子无斗。”子夏之徒曰：“狗豨犹有斗，恶有士而无斗矣？”子墨子曰：“伤矣哉！言则称于汤文，行则譬于狗豨，伤矣哉！”

【译文】

子夏的弟子问墨子说："君子之间有争斗吗？"墨子说："君子之间没有争斗。"子夏弟子说："狗猪尚有争斗，士君子怎么会没有争斗呢？"墨子说："真让人痛心啊！你们言谈则称赞商汤文王，行为却和狗猪相比，真是可悲啊！"

巫马子谓子墨子曰："舍今之人而誉先王，是誉槁骨也。譬若匠人然，智槁木也，而不智生木。"子墨子曰："天下之所以生者，以先王之道教也。今誉先王，是誉天下之所以生也。可誉而不誉，非仁也。"

【译文】

巫马子对墨子说："舍弃现在的人去称誉先王，这是在称誉枯骨。如同匠人一样，只知道枯木，却不知道活着的树木。"墨子说："天下之所以延续存在，就是由于先王的主张教导。现在称誉先王，是在称誉使天下生存延续的先王主张。如果该称誉却不去称誉，就不是仁道了。"

子墨子曰："和氏之璧，隋侯之珠，三棘六异①，此诸侯之所谓良宝也。可以富国家，众人民，治刑政，安社稷乎？曰：不可。所谓贵良宝者，为其可以利也。而和氏之璧、隋侯之珠、三棘六异不可以利人，是非天下之良宝也。今用义为政于国家，人民必众，刑政必治，社稷必安。所为贵良宝者，可以利民也，而义可以利人。故曰：义，天下之良宝也。"

【注释】

①三棘六异：当为"三翮六翼"，九鼎的别名。

【译文】

墨子说："和氏璧、隋侯珠、三翮六翼的九鼎，这些都是诸侯所说的珍宝。用它们可以富国家、众人民、治刑理政、安社稷吗？照我看：不可以。所谓贵重的珍宝，是由于它们能使人们得到利益。但是和氏璧、隋侯珠、三翮六翼的九鼎，这些东西不能给人带来利益，所以说这些都不是天下的珍宝。如果用仁义来治理国家，人口必定增多，刑法政治必然得到治理，社稷必然安泰。所谓贵重的珍宝，就是因为它们能给人民带来利益，而仁义可以使人民得利益，所以说：仁义是天下的珍宝。"

叶公子高问政于仲尼曰："善为政者若之何？"仲尼对曰："善为政者，远者近之，而旧者新之。"子墨子闻之曰："叶公子高未得其问也，仲尼亦未得其所以对也。叶公子高岂不知善为政者之远者近也①，而旧者新是②哉？问所以为之若之何也，不以人之所不智告人，以所智告之，故叶公子高未得其问也，仲尼亦未得其所以对也。"

【注释】

①也：当作"之"。

②是：当作"之"。

【译文】

叶公子高向孔仲尼问施政的方法说："善于施政的人应该是什么样的呢？"孔仲尼回答说："善施政的人，对于处在远方的人要亲近，对于故旧的朋友要如同新交的一样不厌弃。"墨子听说后道："叶公子高没能得到他想要答案，孔仲尼回答得也不得要领。难道叶公子高会不知道善于施政的人要对于处在远方的人亲近，对于故旧的朋友要像新交一样不厌弃吗？他问的是如何去做，不以人家所不知道的告诉人家，而将人家已经知道的告诉人家，所以叶公子高没能得到自己想要的答案，孔仲尼的回答也没能切中要害。”

子墨子谓鲁阳文君曰：“大国之攻小国，譬犹童子之为马也。童子之为马，足用而劳。今大国之攻小国也，攻者[①]农夫不得耕，妇人不得织，以守为事；攻人者，亦农夫不得耕，妇人不得织，以攻为事。故大国之攻小国也，譬犹童子之为马也。”

子墨子曰：“言足以复行者，常[②]之；不足以举行者，勿常。不足以举行而常之，是荡口也。”

【注释】

①攻者：“守者”之误。

②常：通“尚”。

【译文】

墨子对鲁阳文君说：“大国攻击小国，就如同小孩以两手着地模仿马走路一样。小孩子学马走路会导致自己的脚劳累。如今大国攻击小国，作为防守之国，农民无法耕地，妇女无法纺织，以防守为职责；攻打之国，农民也无法耕地，妇女也无法纺织，以攻打为职责。所以大国攻击小国，就如同小孩学马走路一样。”

墨子说：“言论凡是可以付诸行动的，应当推崇；不可以付诸行动的，不应该加以推崇。不能实行却推崇它，就是信口胡说了。”

子墨子使管黔敖[①]游高石子于卫，卫君致禄甚厚，设之于卿。高石子三朝必尽言，而言无行者。去而之齐，见子墨子曰："卫君以夫子之故，致禄甚厚，设我于卿。石三朝必尽言，而言无行，是以去之也。卫君无乃以石为狂乎？"子墨子曰："去之苟道，受狂何伤！古者周公旦非关叔，辞三公，东处于商盖②，人皆谓之狂。后世称其德，扬其名，至今不息。且翟闻之'为义非避毁就誉'，去之苟道，受狂何伤！"高石子曰："石去之，焉敢不道也。昔者夫子有言曰：'天下无道，仁士不处厚焉。'今卫君无道，而贪其禄爵，则是我为苟陷③人长④也。"子墨子说，而召子禽子曰："姑听此乎！夫倍⑤义而乡禄者，我常闻之矣。倍禄而乡义者，于高石子焉见之也。"

【注释】

①澈：衍文。

②商盖：即"商奄"，古国名。

③陷：疑为"啗"之误，即"啖"。

④长："粻"之省文，米粮。

⑤倍：通"背"。

【译文】

墨子让管黔到卫国去赞扬高石子，让高石子到卫国做官，卫国的国君给他很优厚的俸禄，让他位列于卿。高石子曾经三次朝见卫国国君都竭尽其言，然而却丝毫没有被采纳。高石子于是离开卫国到了齐国，看到墨子说："卫国国君由于老师您的缘故，给我的优厚的俸禄，让我位列于卿，但我三次入朝参见卫君将自己的政见全都说完了，却丝毫没有被采纳，于是离开了卫国。卫国国君恐怕会觉得我狂妄吧？"墨子说："如果你离开卫国是符合道义的，那么承受狂妄的指责又有什么呢！古时周公旦驳斥管叔，辞去三公之职，到东方的商奄生活，人都说他狂妄。然而，后世的人却称誉其德行，颂扬其美名，到今天还没有停止。而且我听人说'奉行道义并非为了回避诋毁或者追求称誉’。如果离开卫国符合道义，承受狂妄的指责有何不好！”高石子说：“我离开卫国，如何敢不遵循道义呢？从前老师曾说过：‘天下无道，仁义之士不应该处在厚禄的位置上。’如今卫君无道，却贪图他的俸禄和爵位，那么就是我只贪图别人的粮食了。”墨子听了非常高兴，于是把禽滑釐叫来，说：“姑且听听高石子说的话吧。违背义而向往俸禄的人，我常常听说；拒绝俸禄而向往道义，今天我从高石子这里看到了。”

子墨子曰：“世俗之君子，贫而谓之富，则怒；无义而谓之有义，则喜。岂不悖哉！”

公孟子曰：“先人有则三①而已矣。”子墨子曰：“孰先人而曰有则三而已矣？子未智人之先有。”

后生有反②子墨子而反者：“我岂有罪哉？吾反后。”子墨子曰：“是犹三军北，失后之人求赏也。”

【注释】

①三：“之”字之误。

②反：为“友”字之误。

【译文】

墨子说：“世俗的君子，如果他贫穷别人说他富有，他就愤怒；如果他无义别人说他有义，他就高兴，这难道不是很荒谬吗？”

公孟子说：“先人已有的，后人只要效法他就行了。”墨子说：“谁说先人有的，后人只要效法他就行了。你不知道先人之前也有先人，于是所谓的先人也是后生的了。”

有一个墨子的弟子背叛了他后来又回到其门下说：“我难道有罪吗？我背叛是在他人之后。”墨子说：“这就如同军队打了败仗，在后面逃走的人还要求赏一样。”

公孟子曰："君子不作，术而已。"子墨子曰："不然，人之其①不君子者，古之善者不诛②，今也善者不作。其次不君子者，古之善者不遂③，己有善则作之，欲善之自己出也。今诛而不作，是无所异于不好遂而作者矣。吾以为古之善者则诛之，今之善者则作之，欲善之益多也。"

【注释】

①其：綦，极之意。

②诛：当作"述"。

③遂：疑为"述"之误。

【译文】

公孟子说："君子不创作，只是阐述先贤的言论罢了。"墨子说："并非如此，那些极端没有君子品行的人，对于古代的善不阐述，对于现在的善也不去做。那些其次没有君子品行的人，对古代的善不作阐述，自己有善行就去做，希望善行出于自己。如今只阐述不创作，和不喜欢阐述古代善行的却喜欢自己去做的人，是没有什么区别的。我以为对古代的善就阐述，对现在的善行就去做，这是希望善的东西更多一些。"

巫马子谓子墨子曰："我与子异，我不能兼爱。我爱邹人于越人，爱鲁人于邹人，爱我乡人于鲁人，爱我家人于乡人，爱我亲于我家人，爱我身于吾亲，以为近我也。击我则疾，击彼则不疾于我，我何故疾者之不拂，而不疾者之拂？故有我有杀彼以我，无杀我以利。"子墨子曰："子之义将匿邪，意将以告人乎？"巫马子曰："我何故匿我义？吾将以告人。"子墨子曰："然则，一人说①子，一人欲杀子以利己；十人说子，十人欲杀子以利己；天下说子，天下欲杀子以利己。一人不说子，一人欲杀子，以子为施不祥言者也；十人不说子，十人欲杀子，以子为施不祥言者也；天下不说子，天下欲杀子，以子为施不祥言者也。说子亦欲杀子，不说子亦欲杀子，是所谓经[②]者口也，杀常之身者也。”子墨子曰：“子之言恶利也？若无所利而不[③]言，是荡口也。”

【注释】

①说：同“悦”。

②经：“到”之假借字。

③不：为衍字。

【译文】

巫马子对墨子说：“我与你不一样，我做不到兼爱。我爱邹人超过越人。爱鲁人超过邹人，爱我家乡之人超过鲁人，爱我家人超过我家乡之人，爱我父母超过爱我的家人，爱我自己超过爱我父母，这是因为和我亲近。打我会疼痛，打别人不会痛在我身，我为何不去解除自己的疼痛，反而去解除与自己无关的别人的疼痛呢？因此，我只会杀别人以利于我，而不会自杀以利于他人。”墨子说：“你的这种道义是想要隐藏起来呢？还是想要告诉别人？”巫马子说：“我为何要隐藏自己的道义，当然是告诉别人。”墨子说：“既如此，那么有一个人喜欢你的道义，就会有一个人杀掉你来为自己谋利；有十个人喜欢你的道义，就会有十个人想要杀你以为自己谋利；如果全天下的人都喜欢你的道义，那这天下的人都要杀你以为自己谋利。反过来，如果有一个人不喜欢你的主张，这一个人就要杀你，因为他认为你是散布不祥言论的人；有十个人不喜欢你的主张，就有十个人要杀你，因为他们认为你是散布不祥言论的人；如果天下的所有人都不喜欢你的主张，那么这天下的人都要杀你，因为他们都认为你是散布不祥言论的人。于是，喜欢你主张的人要杀你，不喜欢你主张的人也要杀你，这就是口出不详之言，杀身之祸常至自身的道理。”墨子接着说：“你的言论有什么利益呢？如果没有利益而还要说，这就是信口胡说了。”

子墨子谓鲁阳文君曰：“今有一人于此，羊牛犓犪，维人[1]但割而和之，食之不可胜食也，见人之作饼，则还然窃之，曰：‘舍[2]余食。’不知日月[3]安不足乎，其有窃疾乎？”鲁阳文君曰：“有窃疾也。”子墨子曰：“楚四竟之田，旷芜而不可胜辟，评灵[4]数千，不可胜，见宋、郑之间邑，则还然窃之，此与彼异乎？”鲁阳文君曰：“是犹彼也，实有窃疾也。”

【注释】

①维人：“饔（yōng）人”之误。饔，烹饪。

②舍：通“舒”，宽裕、充足之意。

③日月：疑“甘肥”之误。

④评灵：疑为“泽虞”之误。

【译文】

墨子对鲁阳文君说：“现在有一个人，他的牛羊牲畜任人宰割烹调，多得吃不完，然而他看见别人做饼，就去偷窃，说：‘这样可以充足我的粮食。’不知是他的食物不足呢，还是他自己有偷窃的毛病呢？”鲁阳文君说：“有偷窃病。”墨子说：“楚国境内的田地，空旷荒芜，尚未开垦的多得数不清，灵秀的川泽山林数都数不过来，见到宋国和郑国的空城，还要去窃取，这和那个偷窃别人饼的人有何不同呢？”鲁阳文君说：“就和那个人一样，的确患有偷窃病。”

子墨子曰：“季孙绍与孟伯常治鲁国之政，不能相信，而祝于丛社，曰：‘苟使我和。’是犹弇其目，而祝于丛社也，‘若使我皆视’。岂不缪[1]哉！”

子墨子谓骆滑氂曰：“吾闻子好勇。”骆滑氂曰：“然。我闻其乡有勇士焉，吾必从而杀之。”子墨子曰：“天下莫不欲与[2]其所好，度[3]其所恶。今子闻其乡有勇士焉，必从而杀之，是非好勇也，是恶勇也。”

【注释】

①缪：通“谬”。

②与：通“举”，亲附。

③度：“斥”字本字“庹”的形误，疏远的意思。

【译文】

墨子说：“季孙绍和孟伯常治理鲁国，不能相互信任，就到丛林神社中祷告，说：‘希望让我们和好吧。’这就如同遮住了自己的双眼，却跑到丛林神社里祷告，说‘希望让我能看到吧’。这难道不是很荒谬吗？”

墨子对骆滑氂说：“我听说您喜好勇武。”骆滑氂说：“没错。我听说哪个地方有勇士，就一定要找上去杀死他。”墨子说：“天下没有谁不想亲附他所喜爱的人，除去他所憎恶的人。如今你听到某乡里有勇士，一定前去杀死他，您这不是喜好勇武，而是憎恶勇武啊。”

贵义

【题解】

这一篇以语录体的形式记述了墨子及其言论，据分析应出于其弟子之手。篇名取自首句，通篇主要讲的也是“义”的问题。一开始墨子便提出来，世间万事没有比义更加贵重的，人们的一切言论与行动都要遵从于义。在这里，墨子严厉批评了那些满嘴仁义的所谓世俗君子。

子墨子曰：“万事莫贵于义。今谓人曰：‘予子冠履，而断子之手足，子为之乎？’必不为，何故？则冠履不若手足之贵也。又曰：‘予子天下而杀子之身，子为之乎？’必不为，何故？则天下不若身之贵也。争一言以相杀，是贵义于其身也。故曰：万事莫贵于义也。”

【译文】

墨子说：“世间万事没有比道义更加贵重的。如果对一个人说：‘我送给你鞋帽，但要砍断你的手脚，你愿意吗？’那个人必定不会去做，这是为什么呢？因为鞋帽不如手脚贵重啊。又对这人说：‘如果给你整个天下，但是却要杀死你，你愿意吗？’那个人必定不会去做。这是为什么呢？因为天下不如自身贵重。尽管如此，却有人为了争一句话而相互残杀，这是因为把道义看得比自身贵重。所以说：世间万事没有比道义更加贵重的。”

子墨子自鲁即[①]齐，过故人，谓子墨子曰：“今天下莫为义，子独自苦而为义，子不若已。”子墨子曰：“今有人于此，有子十人，一人耕而九人处，则耕者不可以不益急矣。何故？则食者众而耕者寡也。今天下莫为义，则子如[②]劝我者也，何故止我？”

【注释】

①即：前往。

②如：宜。

【译文】

墨子从鲁国来到齐国，去探望一位老友，这人对墨子说："如今天下没有人追求道义，而你却独自苦苦追求，还不如停止呢。"墨子说："如今有一人，他总共有十个儿子，可只有一个从事农耕，其他九个都闲居，于是耕种的这个儿子就不能不更加努力啊。这是为什么呢？自然是因为吃饭人多而耕种人少。如今天下没人追寻道义，你应该勉励我才对啊，为何还要制止我呢？"

子墨子南游于楚，见楚献惠王，献惠王以老辞，使穆贺见子墨子。子墨子说穆贺，穆贺大说[①]，谓子墨子曰："子之言则成[②]善矣！而君王天下之大王也，毋乃曰'贱人之所为'，而不用乎？"子墨子曰："唯其可行。譬若药然，草之本，天子食之以顺其疾，岂曰'一草之本'而不食哉？今农夫入其税于大人，大人为酒醴粢盛，以祭上帝鬼神，岂曰'贱人之所为'而不享哉？故虽贱人也，上比之农，下比之药，曾不若一草之本乎？且主君亦尝闻汤之说乎？昔者，汤将往见伊尹，令彭氏之子御。彭氏之子半道而问曰：'君将何之？'汤曰：'将往见伊尹。'彭氏之子曰：'伊尹，天下之贱人也。若君欲见之，亦令召问焉，彼受赐矣。'汤曰：'非女[③]所知也。今有药此，食之则耳加聪，目加明，则吾必说而强食之。今夫伊尹之于我国也，譬之良医善药也。而子不欲我见伊尹，是子不欲吾善也。'因下彭氏之子，不使御。彼苟然，然后可也。"

【注释】

①说：通"悦"。

②成：通"诚"，确实，的确。

③女：通"汝"。

【译文】

墨子去南方游历来到了楚国，想要去拜见楚献惠王，结果惠王借口自己年老而不见，只派了穆贺接见他。墨子于是游说穆贺，穆贺听了很高兴，对他说：“您的主张的确非常棒，然而君王是天下的大王，恐怕会说‘这是普通百姓的主张’而不加以采用吧？”墨子说：“只要它可行就够了，比如良药，本来只是一把草根，天子服用了它，能够治愈自己的疾病，难道会说‘不过是一把草根’而不吃吗？如今农民缴纳租税给贵族，贵族大人们酿成美酒、制造祭品，用来祭祀上帝鬼神，难道会说‘这是普通百姓做的’而不去享用吗？所以，虽然我不过是一名普通百姓，向上比作农民，向下比作草药，难道我的治国主张还不如一把草根吗？而且，君王应该也曾听说过商汤的传说吧？过去商汤去见伊尹，叫彭氏的儿子给自己驾车。彭氏儿子半路上问商汤：‘您想要到哪里去呢？’商汤说：‘我要去见伊尹。’彭氏的儿子说：‘伊尹，只不过是天底下的一名普通老百姓。如果您想要见他，只要下令召来问他，对他来说就已经算是恩遇了！’商汤说：‘这不是你能够知道的。假如这里有一种药，吃了它，耳朵能更加灵敏，眼睛能更加明亮，那么我一定会喜欢并且努力吃药。如今伊尹对于我们的国家，就如同良医好药，而你却不想让我去见伊尹，是你不想让我好！’于是就叫彭氏的儿子下去，不让他驾车了。君王如能像商汤那样，就可以采纳我这个普通百姓的主张了。”

子墨子曰：“凡言凡动[①]，利于天鬼百姓者为之；凡言凡动，害于天鬼百姓者舍之；凡言凡动，合于三代圣王尧舜禹汤文武者为之；凡言凡动，合于三代暴王桀纣幽厉者舍之。”

子墨子曰：“言足以迁行者，常之；不足以迁行者，勿常。

不足以迁行而常之，是荡口也。”

子墨子曰：“必去六辟[2]。嘿则思，言则诲，动则事，使三者代御，必为圣人。必去喜，去怒，去乐，去悲，去爱，而用仁义，手足口鼻耳从事于义，必为圣人。”

【注释】

①动：行动。

②辟：通“僻”，邪僻。

【译文】

墨子说：“所有的言论与行动，只要有利于上天、鬼神和百姓就去做；所有的言论与行动，只要有害于上天、鬼神和百姓就应当舍弃；所有的言论与行动，只要合乎三代圣王尧舜禹汤文王武王就应当去做；所有的言论与行动，合乎三代暴君夏桀商纣周幽王周厉王的就应当舍弃。”

墨子说：“凡是言论能够付诸行动的，就要推崇它；不能够付诸行动的，就不要去推崇。如果不能付之行动，却仍然推崇它，那就是胡言乱语了。”

墨子说：“必须除掉六种邪僻。静默时能思索，说话时能教导人，做事时能符合道义，如果这三者能交替进行，就一定能成为圣人。一定要去掉喜和怒，去掉乐和悲，去掉爱和恶，而以仁义作为一切的准则，让手脚口鼻耳都用来从事仁义之事，就一定能成为圣人。”

子墨子谓二三子曰：“为义而不能，必无排其道。譬若匠人之斲[1]而不能，无排其绳。”

子墨子曰：“世之君子，使之为一犬一彘之宰，不能则辞之；使为一国之相，不能而为之。岂不悖哉！”

子墨子曰：“今瞽曰：‘钜[2]者白也，黔者黑也。’虽明目者无以易之。兼白黑，使瞽取焉，不能知也。故我曰瞽不知白黑者，非以其名也，以其取也。今天下之君子之名仁也，虽禹汤无以易之。兼仁与不仁，而使天下之君子取焉，不能知也。故我曰：天下之君子不知仁者，非以其名也，亦以其取也。”

【注释】

①斲（zhuó）：把木头砍削成器物。

②钜：“银”字之误。

【译文】

墨子对弟子们说：“如果行道义却不能胜任，则一定不能归咎于道义本身。这就如同木匠劈木材不能劈好，不能归咎于墨线是一个道理。”

墨子说：“世界上的君子们，让他们做宰杀狗猪的屠夫，如果干不了就推辞掉；让他们去做一个国家的国相，如果干不了却照样去做，这难道不是很荒谬吗？”

墨子说：“如今有一个盲人说：‘皑是白色，黔是黑色。’即便是眼睛明亮之人也不能更改这种说法。然而，如果将白的和黑的东西放在一起，让他分辨，他就无法知道了。所以我说盲人不知道白与黑，并非由于他不能说出白与黑的名称，而是因为他无法加以选取。如今天下君子们说出仁义的定义，即使夏禹和商汤也无法更改它。然而，如果把符合仁和不符合仁的事情混杂在一起，让天下的君子们选取，他们就不知道了。所以我说天下的君子们，不知道仁义为何物，不是因为他们不能说出仁义的定义，而是因为他们无法选取。”

子墨子曰：“今士之用身，不若商人之用一布[①]之慎也。商人用一布布[②]，不敢继苟而雠[③]焉，必择良者。今士之用身则不然，意之所欲则为之，厚者入刑罚，薄者被毁丑，则士之用身不若商人之用一布之慎也。”子墨子曰：“世之君子欲其义之成，而助之修其身则愠，是犹欲其墙之成，而人助之筑则愠也，岂不悖哉！”

子墨子曰：“古之圣王，欲传其道于后世，是故书之竹帛，镂之金石，传遗后世子孙，欲后世子孙法之也。今闻先王之遗[4]而不为，是废先王之传也。”

【注释】

①布：古代钱币。

②布：当作“市”。

③雠：通“售”，以钱买物。

④遗：“道”字之误。

【译文】

墨子说：“如今的士子以身处世，还比不上商人使用一个钱币慎重。商人用一个钱币买东西，不敢草率地购买，必定是要选择好的。如今士子们处世却并非如此，他们随心所欲地胡作非为。于是，过错严重的陷入刑罚，过错较轻的人则蒙受非议耻辱。所以，士人以身处世，不如商人使用一个钱币慎重。”墨子又说：“如今的君子，想要成就仁义，但如果别人去帮助他修养身心却招来怨恨，这就如同想要筑墙，但别人帮助他一起修筑却招来怨恨一样，这难道不是很荒谬吗？”

墨子说：“上古时代的圣王，想要把自己的道术学说传继给后人，所以写在竹帛上，刻在金石上，传留给子孙后代，要子孙后代来效法它。如今的人们听了先王的道术学说却不去实行，这是废弃先王所传的道术学说啊。”

子墨子南游使卫，关中[1]载书甚多，弦唐子见而怪之，曰：“吾夫子教公尚过曰：‘揣曲直而已。’今夫子载书甚多，何有也？”子墨子曰：“昔者周公旦朝读书百篇，夕见漆[2]十士，故周公旦佐相天子，其修至于今。翟上无君上之事，下无耕农之难，吾安敢废此？翟闻之：‘同归之物，信有误者。’然而民听不钧[3]，是以书多也。今若过之心者，数逆于精微。同归之物，既已知其要矣，是以不教以书也。而子何怪焉？”

【注释】

①关中：即车中。

②漆：“七”之借音字。

③钧：通“均”。

【译文】

墨子去南方游历来到卫国，车子里装载的书非常多，弦唐子看见后就觉得很奇怪，问：“老师曾经教导公尚过说：‘书只不过是用来衡量是非曲直罢了。’如今您车上装这么多书，究竟有什么用处呢？”墨子说：“当初周公旦早晨读书百篇，晚上见七十位士人。因此周公旦辅助天子，他的美名善行流传到现在。现在我上没有承担国君授予的职务，下没有耕种的辛劳，我怎么敢废弃读书啊！我曾经听人说过：世间万事殊途同归，流传时确实会出现差错，然而由于人们听到的不能一样，于是书就多了起来。像公尚过那样的人，内心对于事理已达到了洞察精微的程度。对于殊途同归的天下事物，已经知道切要合理之处，所以就不用靠读书教育了。对此你又何必感到奇怪呢？”

子墨子谓公良桓子曰：“卫，小国也，处于齐、晋之间，犹贫家之处于富家之间也。贫家而学富家之衣食多用，则速亡必矣。今简[1]子之家，饰车数百乘，马食菽粟者数百匹，妇人衣文绣者数百人，吾[2]取饰车、食马之费与绣衣之财以畜士，必千人有余。若有患难，则使百人处于前，数百于后，与妇人数百人处前后，孰安？吾以为不若畜士之安也。”

【注释】

①简：阅。

②吾："若"字之误。

【译文】

墨子对公良桓子说："卫国只不过是一个小国家，处身于齐国与晋国之间，就如同穷人处在富人之间一般。穷人如果学富人的穿衣吃饭以及大手大脚花钱，那么穷人一定很快就会破败了。如今看您的家族，文彩装饰的车子多达数百辆，吃菽粟的好马达数百匹，穿文绣的女人达数百位。如果把装饰车辆、养马的费用以及做锦绣华服的钱用来供养士人，必定可以养一千位还有要多。如果遇到危难，那么就命令几百人到前面，几百人在后面，这和几百名女人站在前后，哪个更加安全呢？我个人认为不如供养士人更加安全。"

子墨子仕人于卫，所仕者至而反[1]。子墨子曰："何故反？"对曰："与我言而不当。曰：'待女以千盆。'授我五百盆，故去之也。"子墨子曰："授子过千盆，则子去之乎？"对曰："不去。"子墨子曰："然则非为其不审[2]也，为其寡也。"

子墨子曰："世俗之君子，视义士不若负粟者。今有人于此，负粟息于路侧，欲起而不能，君子见之，无长少贵贱，必起之。何故也？曰：义也。今为义之君子，奉承先王之道以语之，纵不说而行，又从而非毁之。则是世俗之君子之视义士也，不若视负粟者也。"

子墨子曰："商人之四方，市贾信[3]徙，虽有关梁之难，盗贼之危，必为之。今士坐而言义，无关梁之难，盗贼之危，此为信徙，不可胜计，然而不为。则士之计利，不若商人之察也。"

【注释】

①反：通“返”。

②审：疑为“当”字之误。

③信：“倍”字之误。

【译文】

墨子推荐人到卫国去做官，这人到卫国后不久便回来了。墨子说：“怎么回来了呢？”回答道：“卫国对我言而无信。说：‘给你一千盆的俸禄。’结果却只给了我五百盆，于是我便离开了卫国。”墨子说：“如果给你的俸禄超过一千盆，那么你还离开吗？”那人说：“自然不会离开。”墨子说：“那么，你离开不是由于卫国对你言而无信，而是因为俸禄少。”

墨子说：“世俗君子，看待仁义的士人还不如一个背米的人。如今这有一个背着米的人，蹲在路边休息，想站却站起不来了。君子看见了，无论他是长幼贵贱，必定会帮助他站起来。这是为什么呢？说：出于道义。如今奉行道义的君子，承受先王的学说来告诉世俗的君子，不高兴走开也就罢了，却还要加以非议和诋毁。所以说世俗的君子看待行义之士，还不如对待一个背米的人。”

墨子说：“商人们到全国各地去，买进和卖出货物的价钱相差一倍或几倍，即使有通过关卡的艰难，碰见盗贼的危险，也一定去做买卖。如今士人坐着谈论道义，不仅没有关卡的艰难，也没有盗贼的危险，而获得的利益是不可胜数的，即便如此还不实行。那么士人对利益的考察，还不如商人看得清楚。”

子墨子北之齐，遇日者。日者曰：“帝以今日杀黑龙于北方，而先生之色黑，不可以北。”子墨子不听，遂北，至淄水，不遂而反焉。日者曰：“我谓先生不可以北。”子墨子曰：“南之人不得北，北之人不得南，其色有黑者，有白者，何故皆不遂也？且帝以甲乙杀青龙于东方，以丙丁杀赤龙于南方，以庚辛杀白龙于西方，以壬癸杀黑龙于北方，若用子之言，则是禁天下之行者也。是围心而虚天下也，子之言不可用也。”

子墨子曰：“吾言足用矣，舍言革思者，是犹舍获而攈粟也。以其言非吾言者，是犹以卵投石也，尽天下之卵，其石犹是也，不可毁也。”

【译文】

墨子向北方游历来到齐国，遇见一个占卜先生。占卜先生说：“今天黄帝在北方杀死了黑龙，您的脸色发黑，所以不能到北边去。”墨子不听，竟然继续向北走，来到淄水边上，没有渡过河就返回来了。占卜先生说：“我对您说过不能向北去。”墨子说：“淄水南边的人不能渡过淄水向北去，淄水北边的人也不能南行，他们的脸上的颜色有黑的，也有白的，为什么全都不能渡过河呢？而且，黄帝于甲乙日在东方杀死了青龙，于丙丁日在南方杀死了赤龙，于庚辛日在西方杀死了白龙，于壬癸日在北方杀死了黑龙，如果按照你的说法，就是禁止天下的人来往。这是困蔽人心，让整个天下如同虚无人迹一般，因此你的话不可用。”

墨子说：“我的学说值得采用，如果舍弃我的学说而另外思虑，这就如同放弃收获而去拾别人遗留的谷穗一般。用别人的言论否定我的言论，这就如同用鸡蛋去碰石头一般，用光全天下的鸡蛋，石头还是那个样子，不可能毁坏。”

公孟

【题解】

本篇有一半讲的是墨子和公孟子的辩论，其余的则为墨子与儒生和门中弟子不同见解者的相互诘难，形式以对话为主。在这篇文章中，墨子主要申明他“非命”“明鬼”“节葬”“非儒”的主张。在墨子看来，虽然认为儒家的学说足以丧乱天下，但他也认为孔子有不可更改的主张。由此可见，墨子对儒家的态度，还是相对比较客观的。

公孟子谓子墨子曰：“君子共①己以待，问焉则言，不问焉则止。譬若钟然，扣则鸣，不扣则不鸣。”子墨子曰：“是言有三物焉，子乃今知其一②身③也，又未知其所谓也。若大人行淫暴于国家，进而谏，则谓之不逊；因左右而献谏，则谓之言议，此君子之所疑惑也。若大人为政，将因于国家之难，譬若机之将发也然，君子之必以谏，然而大人之利，若此者，虽不扣必鸣者也。若大人举不义之异行，虽得大巧之经，可行于军旅之事，欲攻伐无罪之国，有之也，君得之，则必用之矣。以广辟土地，著税伪材④，出必见辱，所攻者不利，而攻者亦不利，是两不利也。若此者，虽不扣必鸣者也。且子曰：‘君子共己待，问焉则言，不问焉则止，譬若钟然，扣则鸣，不扣则不鸣。’今未有扣，子而言，是子之谓不扣而鸣邪？是子之所谓非君子邪？”

【注释】

①共：当为“拱”。

②一：当作“二”。

③身：当为“耳”字之误。

④材：通“财”。

【译文】

公孟子对墨子说：“君子应该拱起两手恭敬地等待，君王问他就说，不问他就不要乱说。就如同钟一般，敲它一下就响，不敲就不响。”墨子说：“这话有三层意思，你如今只知其二，却又不知道这二者是什么意思。如果王公大臣在国家里荒淫暴虐，若前去劝谏就会说他不恭敬；若通过左右近臣去进谏，那么又叫作私下议论，这是君子疑惑的。如果在王公大臣执政期间，国家即将要发生大灾难，如同弩机将要发射一样紧急，那么君子就一定要去劝谏，这是王公大臣的利益所在。像这种情况如此急迫，就算不敲也一定要发出声音来。如果王公大臣从事邪行，做出不道义的事情来，比如得到十分巧妙的兵书，能够在军队中使用，于是便想要攻打无罪的国家，并且要占据它，通常国君得到这样的兵书，就一定会使用。以此来扩充领土，聚集货物钱财，然而出师一定会受辱，对被攻打的国家不利，对攻打他国的国家也同样不利，于是两个都得不到利益。像这种情况，即使不敲也一定要发出声音来。并且你说：‘君子应该拱起两手恭敬地等待，君王问他就说，不问就不说。如同钟一样，敲它就响，不敲就不响。’如今也没有人敲击你，你却自己说话了，这是你说的‘不敲却响’呢？还是你说的‘非君子所为’呢？”

公孟子谓子墨子曰：“实为善人，孰不知？譬若良玉，处而不出有余糈①。譬若美女，处而不出，人争求之。行而自炫，人莫之取②也。今子遍从人而说之，何其劳也！”子墨子曰：“今夫世乱，求美女者众，美女虽不出，人多求之；今求善者寡，不强说人，人莫之知也。且有二生于此，善筮。一行为人筮者，一处而不出者。行为人筮者与处而不出者，其糈孰多？”公孟子曰：“行为人筮者其糈多。”子墨子曰：“仁义钧，行说人者，其功善亦多，何故不行说人也！”

【注释】

①糈（xǔ）：用于祀神的米。

②取：同“娶”。

【译文】

公孟子对墨子说：“真正做善事的，谁会不知道他呢？好比美玉，即使藏而不露仍然能够放射出异彩。好比美女，即使隐而不出，人们仍然争相追逐。然而，如果这美女自己进行炫耀，人们就不会娶她了。如今您到处跟随别人用言语去游说他们，这是多么辛苦啊！”墨子说：“如今世道混乱，追求美女的人多，所以美女即便隐而不出，追求她们的人也有很多；然而，现在追求善的人却太少了，不努力游说，别人就更加不知道了。假如这里有两个人，全都善于占卜，其中一个人出门为他人占卜，而另一个人则隐而不出，出门给他人占卜的与隐而不出的，哪一个获得的赠粮更多呢？”公孟子说：“自然是出门给他人占卜的人获得的赠粮多。”墨子说：“主张仁义与此相同，到处行走游说的人，他的功绩和益处也更多，为何不出来游说他人呢？”

公孟子戴章甫，搢忽[①]，儒服，而以见子墨子，曰：“君子服然后行乎？其行然后服乎？”子墨子曰：“行不在服。”公孟子曰：“何以知其然也？”子墨子曰：“昔者齐桓公高冠博带，金剑木盾，以治其国，其国治。昔者晋文公大布之衣，牂羊之裘，韦以带剑，以治其国，其国治。昔者楚庄王鲜冠组缨，绛衣博袍，以治其国，其国治。昔者越王勾践剪发文身，以治其国，其国治。此四君者，其服不同，其行犹一也。翟以是知行之不在服也。”公孟子曰：“善！吾闻之曰：‘宿[2]善者不祥。’请舍忽、易章甫，复见夫子可乎？”子墨子曰：“请因以相见也。若必将舍忽、易章甫而后相见，然则行果在服也。”

【注释】

①搢（jìn）忽：即“搢笏”，插笏。

②宿：停止。

【译文】

公孟子头上戴着礼帽，腰里插着记事板，穿着儒家的服饰前去见墨子，说：“君子应该先讲究穿戴服饰然后才会有一定的作为，还是先有一定的作为然后才讲究穿戴服饰呢？”墨子说：“有所作为不在于服饰如何。”公孟子说：“您怎么知道是这样的呢？”墨子说：“当初齐桓公戴着高帽子，系着宽大的带子，身上佩着金剑木盾，以此来治理他的国家，国家得到了治理；当初晋文公穿着粗布衣服，母羊皮做的大衣，用牛皮带来挂剑，以此来治理他的国家，国家得到了治理；当初楚庄王头戴鲜冠，腰里系着系冠丝带，身上穿着大红长袍，以此来治理他的国家，国家得到了治理；当初越王勾践剪断自己的头发，用针在身上刺了花纹，以此来治理他的国家，国家得到了治理。这四位国君的服饰不同，但他们的作为是一样的。我因此知道有作为不在于衣服如何。”公孟子说：“您讲得真好！我听人说：‘心知善行却不施行是不吉利的。’请让我丢掉记事板，换了礼帽，然后再来见您，可以吗？”墨子说：“请您就像现在这样见面就很好，如果一定要丢弃记事板，换了礼帽，然后再来见面，那么作为反而是在于服饰了。”

公孟子曰：“君子必古言服，然后仁。”子墨子曰：“昔者商王纣卿士费仲为天下之暴人，箕子、微子为天下之圣人，此同言而或仁不仁也。周公旦为天下之圣人，关叔为天下之暴人，此同服或仁或不仁。然则不在古服与古言矣。且子法周而未法夏也，子之古非古也。”

公孟子谓子墨子曰：“昔者圣王之列①也，上圣立为天子，其次立为卿大夫。今孔子博于《诗》《书》，察于礼乐，详于万物，若使孔子当圣王，则岂不以孔子为天子哉？”子墨子曰：“夫知者，必尊天事鬼，爱人节用，合焉为知矣。今子曰‘孔子博于《诗》《书》，察于礼乐，详于万物’，而曰可以为天子，是数人之齿②，而以为富。”

【注释】

①列：位次。

②齿：契之齿。

【译文】

公孟子说：“君子必须说古代的话、穿古代衣服，然后才称得上是仁义的。”墨子说：“当初纣王的卿士费仲是天下有名的暴虐之徒，而箕子、微子则是天下知名的圣人。这是同说古代语言却有仁义或不仁义的例子。周公旦是天下知名的圣人，而管叔则是天下有名的暴虐之徒，这又是同穿古代衣服却有仁义或不仁义的例子。具有仁义，并不在于古言古服！况且，你是在效法周朝却没有效法夏朝，你的古，其实并非真正的古代。”

公孟子对墨子说：“当初圣王排位定次，最上等的圣人被立为天子，其次的立为卿大夫。现在孔子博通诗书，明察礼乐之制，备知天下万物，如果让孔子处于圣王的时代，那岂不是要让孔子做天子了吗？”墨子说：“有智慧的人，一定尊重上天，侍奉鬼神，爱护百姓，节约财用，合于这些要求，才可以称得上有智慧的人。如今你说孔子博通诗书，明察礼乐之制，备知天下万物，而认为他可以做天子，这不过是数别人契据上的刻数，却自以为富有罢了。”

公孟子曰：“贫富寿夭，齰然[1]在天，不可损益。”又曰：“君子必学。”子墨子曰：“教人学而执有命，是犹命人葆[2]而去亓冠也。”

公孟子谓子墨子曰：“有义不义，无祥不祥。”子墨子曰：“古圣王皆以鬼神为神明，而为祸福，执有祥不祥，是以政治而国安也。自桀纣以下，皆以鬼神为不神明，不能为祸福，执无祥不祥，是以政乱而国危也。故先王之书《子亦》有之曰：‘亓傲也，出于子，不祥。’此言为不善之有罚，为善之有赏。”

【注释】

①齰（cuò）然：确然。齰，同“错”。

②葆：包裹头发。

【译文】

公孟子说：“贫困富裕长寿夭折，全部都是由天注定的，任何人不能增减它们。”又说：“君子一定要学习。”墨子说：“叫人学习却宣扬天命论，就如同让人包裹头发以便戴帽，现在却拿走了他的帽子一般。”

公孟子对墨子说：“在这个世界上只有义与不义的情况，没有因义与不义而得福得祸的事情。”墨子说：“上古圣王们都认为鬼神是神圣明达的，能带来祸福，并且主张‘因人的义与不义而得福得祸’的观点，所以政治清明，国家安宁。自从夏桀商纣以来，都认为鬼神不存在，也无法带来祸福，主张‘人的不义没有祸患’的观点，于是政治混乱，国家一个个相继灭亡了。先王的书《箕子》上说：‘言行傲慢，就会不吉祥。’这话是对不善的惩处，又是对善行的奖赏。”

子墨子谓公孟子曰：“丧礼，君与父母、妻、后子死，三年丧服；伯父、叔父、兄弟期①；族人五月；姑、姊、舅、甥皆有数月之丧。或以不丧之间，诵《诗三百》，弦《诗三百》，歌《诗三百》，舞《诗三百》。若用子之言，则君子何日以听治？庶人何日以从事？”公孟子曰：“国乱则治之，国治则为礼乐。国治②则从事，国富则为礼乐。”子墨子曰：“国之治，治之废，则国之治亦废。国之富也，从事，故富也。从事废，则国之富亦废。故虽治国，劝之无餍，然后可也。今子曰：‘国治则为礼乐，乱则治之。’是譬犹噎而穿井也，死而求医也。古者三代暴王桀纣幽厉，薾③为声乐，不顾其民，是以身为刑僇④，国为戾虚者，皆从此道也。”

【注释】

①期：一年。

②治：当作“贫”。

③薾（ěr）：盛大之意。

④僇：通“戮”。

【译文】

墨子对公孟子说：“按照丧礼，君王与父母、妻子、长子死去，要穿三年的丧服；伯父、叔父、兄弟死去，只穿一年就够了；族人死去要穿五个月；姑、姐、舅、甥死去都要穿几个月丧服。另外，还要在不办丧事的时期，诵《诗三百》，同时配以舞蹈。如果像您所说的那样，君王何时能够从事政治呢？百姓何时能够从事生产工作呢？”公孟子说：“国家混乱了就从事政治，国家安宁的时候就从事礼乐；国家贫困了就从事生产，国家富裕就从事礼乐。”墨子说：“国家得到治理，但如果治理废弃了，国家的安宁也就因此停止了。国家富裕，由于百姓从事生产才富裕；百姓的生产废弃了，那么国家的富裕也就被停止了。所以治理国家，一定要勤勉不止，这样才能治理好。如今你说：‘国家安宁时就从事礼乐，国家混乱了就进行治理。’这就如同吃饭噎了才去挖井，人死了之后才去求医是一个道理的。古时三代的暴虐之王桀纣幽王厉王大搞声乐，不顾百姓死活，结果自己成了刑戮之人，国家也因此遭到灭亡，都是由这种主张造成的。”

公孟子曰：“无鬼神。”又曰：“君子必学祭祀[①]。”子墨子曰：“执无鬼而学祭礼，是犹无客而学客礼也，是犹无鱼而为鱼罟也。”

公孟子谓子墨子曰：“子以三年之丧为非，子之三日之丧亦非也。”子墨子曰：“子以三年之丧非三日之丧，是犹倮[②]谓撅者不恭也。”

公孟子谓子墨子曰：“知有贤于人，则可谓知乎？”子墨子曰：“愚之知有以贤于人，而愚岂可谓知矣哉？”

【注释】

①祀：“礼”字之误。

②倮：通“裸”。

【译文】

公孟子说：“世界上没有鬼神。”又说：“君子一定要学习祭礼。”墨子说：“主张无神论却又去劝人学习祭礼，这就如同没有宾客却学习接待宾客的礼节，没有鱼却编织渔网一般。”

公孟子对墨子说：“你认为三年丧期是错的，那么你主张的三日丧期也是错的。”墨子说：“你用三年丧期攻击三日丧期，就如同裸体之人说撅起衣服之人不恭敬一样。”

公孟子对墨子说："有个人的知识，有超过别人的地方，那么就可以说他是智慧聪明的人吗？"墨子答道："愚蠢之人的知识，也有胜过他人的地方，难道你能说愚蠢之人是智慧聪明的人吗？"

公孟子曰："三年之丧，学吾①之慕父母。"子墨子曰："夫婴儿子之知，独慕父母而已。父母不可得也，然号而不止，此亓故何也？即愚之至也。然则儒者之知，岂有以贤于婴儿子哉？"

子墨子曰："问于儒者：'何故为乐？'"曰："乐以为乐也。"子墨子曰："子未我应也。今我问曰：'何故为室？'曰：'冬避寒焉，夏避暑焉，室以为男女之别也。'则子告我为室之故矣。今我问曰：'何故为乐？'曰：'乐以为乐也。'是犹曰：'何故为室？'曰：'室以为室也。'"

【注释】

①吾：后脱一"子"字。

【译文】

公孟子说："三年丧期实际上是仿效孩子依恋父母的情意。"墨子说："婴儿的智慧，唯独知道依恋自己的父母而已，父母不见了，就会大哭不止。这是什么原因呢？这是蠢笨到了极点。那么儒家学者的智慧，难道有胜过小孩子之处吗？"

墨子问一个儒家的人说："为什么要从事音乐？"儒家的人说："从事音乐是为了娱乐。"墨子说："你并没有真正回答我。如果我问：'为什么建造房屋？'一般人就会说：'为了冬天能够避寒，夏天能够避暑，同时建造房屋也用来分别男女。'如果这样回答，就是你告诉了我造房屋的原因。如今我问的是：'为什么从事音乐？'你却回答说：'从事音乐是为了娱乐。'这就如同问：‘为什么建造房屋？’你回答我说‘建造房屋是建造房屋’是一个道理的。”

子墨子谓程子曰：“儒之道足以丧天下者，四政焉。儒以天为不明，以鬼为不神，天鬼不说，此足以丧天下。又厚葬久丧，重为棺椁，多为衣衾，送死若徙，三年哭泣，扶后起，杖后行，耳无闻，目无见，此足以丧天下。又弦歌鼓舞，习为声乐，此足以丧天下。又以命为有，贫富寿夭、治乱安危有极矣，不可损益也。为上者行之，必不听治矣；为下者行之，必不从事矣，此足以丧天下。”程子曰：“甚矣！先生之毁儒也。”子墨子曰：“儒固无此若四政者，而我言之，则是毁也。今儒固有此四政者，而我言之，则非毁也，告闻也。”程子无辞而出。子墨子曰：“迷①之！”反，后②坐，进复曰：“乡者先生之言有可闻③者焉，若先生之言，则是不誉禹，不毁桀纣也。”子墨子曰：“不然。夫应孰辞，称议④而为之，敏也。厚攻则厚吾，薄攻则薄吾⑤。应孰辞而称议，是犹荷辕而击蛾也。”

【注释】

①迷：疑为“还”字之误。

②后：当为“复”字之误。

③闻：应作“间”，指责。

④议：旧本或作“义”，当从。

⑤吾：通“御”。

【译文】

墨子对程子说：“儒家学说足够亡天下的原因共计有四点。儒家认为天是不明察的，认为鬼神是没有神灵的，于是天和鬼神就会不高兴，这就足以亡天下了。同时还要求厚葬久丧：做双层厚重的棺椁，制作许多的衣服被子，送葬就如同搬家一样，哭泣三年，人要扶着才能站起来，拄着拐杖才能够行走，耳朵不聪目不明，这足够亡天下了。再加上主张琴瑟歌舞，以声乐之事为常习，这足以丧亡天下了。又认为有天命，说什么贫富寿夭、治乱安危都有定数，别人无法增减变化。如果居上位者实行他们的学说，一定就不处理政务了；如果被统治的人实行他们的学说，一定就不从事生产了，这足以丧亡天下。”程子说：“先生您捣毁儒家实在是太过分了！”墨子说：“如果儒家本来没有这四种学说，而我却说有，这是诋毁了。如今儒家本就有这四种学说，而我只不过说了出来，这就不算诋毁了，是将我所知道的告诉你罢了。”程子没有告辞便退了出来。墨子说：“你给我回来！”程子于是又返了回来，坐下，再次告诉墨子说：“刚才先生您的言论有可以指摘之处，照先生您这样讲，就不是称赞大禹商汤，也不是诋毁桀纣。”墨子说：“并非如此。能用常习的言词作回答，又切合事理，这就是机敏。对方言词激烈，我也一定言词激烈来应对，对方缓言相让，我也一定会缓言以对。平时应酬的言词如果不用与之相应的方法，那就如同举着车辕去敲击蛾子。”

子墨子与程子辩，称于孔子。程子曰：“非儒，何故称于孔子也？”子墨子曰：“是亦当而不可易者也。今鸟闻热旱之忧则高，鱼闻热旱之忧则下，当此虽禹汤为之谋，必不能易矣。鸟鱼可谓愚矣，禹汤犹云因焉。今翟曾无称于孔子乎？”

【译文】

墨子和程子辩论，称赞了孔子。程子说：“你一向攻击儒家学说，现在为何又要称赞孔子呢？”墨子答道：“这是因为孔子也有合理而不可改变的地方。现在鸟听说要有炎热干旱就向高处飞，鱼如果听说要有炎热干旱就向水下游，遇到这种情况，即使大禹和商汤来为它们谋划，也一定不可能改变。鸟和鱼可说是够无知的了，大禹和商汤有时还要因循习俗。现在难道我还不能有称赞孔子之处吗？”

有游于子墨子之门者，身体强良，思虑徇[①]通，欲使随而学。子墨子曰：“姑学乎，吾将仕子。”劝于善言而学。其年，而责仕于子墨子。子墨子曰：“不仕子，子亦闻夫鲁语乎？鲁有昆弟五人者，亓父死，亓长子嗜酒而不葬，亓四弟曰：‘子与我葬，当为子沽酒。’劝于善言而葬。已葬，而责酒于其四弟。四弟曰：‘吾末[②]予子酒矣。子葬子父，我葬吾父，岂独吾父哉？子不葬，则人将笑子，故劝子葬也。’今子为义，我亦为义，岂独我义也哉？子不学，则人将笑子，故劝子于学。”

【注释】

①徇：“侚”字之误，疾。

②末：当作“未”。

【译文】

有一个人来到墨子门下，身体健壮，才思敏捷，想要跟随墨子学习。墨子说：“暂且学习吧，将来我会让你出仕做官。”用好话勉励他去学习。过了一年之后，这个人向墨子请求出仕做官。墨子说：“我不让你去做官。你听过鲁国的故事吗？鲁国有一家兄弟五人，父亲死后长子由于嗜酒而不去埋葬。于是四个弟弟对他说：‘你和我们一起去安葬父亲，我们会给你买酒喝。’于是用好言劝着让他葬了自己的父亲。葬礼结束后，这个长子向四个弟弟要酒喝。弟弟们却说：‘我们不会给你酒的。你葬了你的父亲，而我们葬了我们的父亲，怎么能说只是我们的父亲呢？你不葬父亲，别人将笑话你，所以劝你葬父亲。’现在你为了道义，我们也为了道义，怎能说只是我的道义呢？你不学别人将要笑话你，所以劝你学习。”

有游于子墨子之门者，子墨子曰："盍学乎？"对曰："吾族人无学者。"子墨子曰："不然。未[1]好美者，岂曰吾族人莫之好，故不好哉？夫欲富贵者，岂曰我族人莫之欲，故不欲哉？好美、欲富贵者，不视人犹强为之。大义，天下之大器也，何以视人必强为之？"

有游于子墨子之门者，谓子墨子曰："先生以鬼神为明知，能为祸人哉福[2]，为善者富之，为暴者祸之。今吾事先生久矣，而福不至，意者先生之言有不善乎？鬼神不明乎？我何故不得福也？"子墨子曰："虽子不得福，吾言何遽不善？而鬼神何遽不明？子亦闻乎匿徒之刑之有刑乎？"对曰："未之得闻也。"子墨子曰："今有人于此，什子，子能什誉之，而一自誉乎？"对曰："不能。""有人于此，百子，子能终身誉亓善，而子无一乎？"对曰："不能。"子墨子曰："匿一人者犹有罪，今子所匿者若此亓多，将有厚罪者也，何福之求？"

【注释】

①未："夫"字之误。

②能为祸人哉福：当作"能为祸福"。

【译文】

有个来到墨子门下的人，墨子对他说："为什么不学习呢？"这人回答说："我的家族之中没有学习之人。"墨子说："并非如此。那些喜欢美的人，难道会说我的家族之中没有人喜欢美，所以不喜欢吗？那些打算富贵的人，难道说我家族之中没有人想要富贵，所以不打算吗？喜欢美的人和打算富贵的人，不要管他人行事，仍然努力去做。道义，是天下最贵重的宝器，为什么要去看别人呢？自己一定努力去做。"

有个在墨子门下游学之人，对墨子说："先生您认为鬼神聪明智慧，能给人们带来祸福，给行善的人赐福，给施暴的人降祸。如今我侍奉先生已经很久了，但福却不曾来到，究竟是先生的话有不正确的地方呢，还是鬼神并不聪明智慧呢？否则，我为何没有得到福呢？”墨子说：“即使你没有得到福，我的话为什么不正确呢？而鬼神又怎么会不聪明智慧呢？你可听说过隐藏犯人是有罪的这件事吗？”这人说：“从来没有听说过。”墨子说：“如今有这样一个人，其贤能胜你十倍，你能十倍地称赞他，而一点不称誉自己吗？”这人说：“不能。”墨子又问：“如果有这样一个人他的贤能胜过你百倍，你能终身称赞他的长处，而一点也不称赞自己吗？”这人说：“不能。”墨子说：“隐藏一个尚且有罪，如今你所隐藏了这么多，就有极大的罪，还想要什么福呢？”

子墨子有疾，跌鼻进而问曰：“先生以鬼神为明，能为祸福，为善者赏之，为不善者罚之。今先生圣人也，何故有疾？意者先生之言有不善乎？鬼神不明知乎？”子墨子曰：“虽使我有病，何遽不明？人之所得于病者多方，有得之寒暑，有得之劳苦，百门而闭一门焉，则盗何遽无从入？”

【译文】

墨子生病了，跌鼻进来问道：“先生您认为鬼神是明智的，能够赐福降祸，行善的人就奖赏他，作恶的人就处罚他。如今先生作为圣人，为何还会得病呢？不知是先生的言论有不准确的地方，还是鬼神也不是聪明智慧的？”墨子说：“即使我生病，鬼神又为何不明智呢？人得病的原因有很多，有从寒暑之中得的，有从劳苦之中得的，如同房屋有一百个门，只关上其中一个门，盗贼怎么会没有地方进来呢？”

二三子有复于子墨子学射者，子墨子曰：“不可。夫知者必量亓力所能至而从事焉，国士战且扶人，犹不可及也。今子非国士也，岂能成学又成射哉？”

二三子复于子墨子曰：“告子曰：‘言[1]义而行甚恶。’请弃之。”子墨子曰：“不可。称我言以毁我行，愈于亡。有人于此[2]，翟甚不仁，尊天、事鬼、爱人，甚不仁。犹愈于亡也。今告子言谈甚辩，言仁义而不吾毁，告子毁，犹愈亡也。”

【注释】

①言：字前脱一“子”字。

②有人于此：后应补一“曰”字。

【译文】

有几个弟子反复向墨子请求想要学习射箭，墨子说：“不行。智慧之人必定会衡量自己的能力所能达到的地方然后才进行实践，国士一边作战，一边去扶受伤的人，尚且兼顾不到。现在你们并非国士，岂能又完成好学业又学好射技呢？”

有几个弟子对墨子说：“告子说：‘您口称仁义而行为却极坏，’请抛弃他吧。”墨子说：“不行。称誉我的言论却诽谤我的行为，总要比完全没有提到我强。如果现在这里有个人说：‘墨翟很不仁义，只是尊重上天、侍奉鬼神、爱护百姓，但行为却非常不仁义。’这胜过什么都没有。如今告子讲话非常强词夺理，但不诋毁我讲仁义，告子的诋毁仍然胜过完全不提到我。”

二三子复于子墨子曰：“告子胜为仁。”子墨子曰：“未必然也！告子为仁，譬犹跂以为长，隐[1]以为广，不可久也。”

告子谓子墨子曰：“我治国为政。”子墨子曰：“政者，口言之，身必行之。今子口言之，而身不行，是子之身乱也。子不能治子之身，恶能治国政？子姑亡[2]子之身乱之矣！”

【注释】

①隐：疑“偃”之误。

②亡：“防”之音讹。

【译文】

有几个弟子对墨子说：“告子能担当奉行仁义的重任。”墨子说：“这不一定准确。告子施行仁义，如同踮起脚尖使身高增加，仰起身来使身体加宽一般，不可能长久的。”

告子对墨子说：“我能治理国家管理政务。”墨子说：“所谓政务，嘴上说，自身也一定要实行它。如今你嘴上能说而自身却不能实行，这是你自相矛盾的地方。你不能治理你自身，又哪里能去治国家的政务呢？你姑且先防备自身的矛盾吧。”

鲁问

【题解】

本篇有近一半的内容讲的是墨子对齐、鲁、楚、越等国统治者的建议和批评，剩下的则为与朋友和弟子的谈话。所涉及的内容比较广泛，对墨子的主要观点，如“兼爱”“非攻”有所论及；除此之外，也有几处专门申说“义”的重要性。这些内容，体现的是墨子向往国家富强、天下安宁、人民安居乐业的政治理想。

鲁君谓子墨子曰：“吾恐齐之攻我也，可救乎？”子墨子曰：“可。昔者三代之圣王禹汤文武，百里之诸侯也，说忠行义，取天下。三代之暴王桀纣幽厉，仇怨行暴，失天下。吾愿主君之上者尊天事鬼，下者爱利百姓，厚为皮币，卑辞令，亟遍礼四邻诸侯，驱国而以事齐，患可救也。非此，顾无可为者。”

【译文】

鲁君对墨子说：“我担心齐国攻打我国，可以解救吗？”墨子说：“可以的。当初三代的圣王禹汤文王武王，也只不过是百里见方土地的小国诸侯，喜欢忠臣，实行仁义，最终得到了天下；三代的暴王桀纣幽厉，将抱怨之人当作仇人，实行暴政，终于失去了天下。我希望君王您对上尊敬上天侍奉鬼神，对下爱护百姓，做对百姓有利的事，准备丰厚的毛皮丝织品作为礼物，以谦恭的辞令，赶快礼交四周的诸侯，驱使整个国家的人民，共同抵御齐国的侵略，这样祸患就可以得到解救。否则，就没有办法了。”

齐将伐鲁，子墨子谓项子牛曰：“伐鲁，齐之大过也。昔者吴王东伐越，栖诸会稽；西伐楚，葆[①]昭王于随；北伐齐，取国子以归于吴。诸侯报其仇，百姓苦其劳而弗为用，是以国为虚戾，身为刑戮也。昔者智伯伐范氏与中行氏，兼三晋之地，诸侯报其仇，百姓苦其劳而弗为用，是以国为虚戾，身为刑戮用是也。故大国之攻小国也，是交相贼也，过[②]必反于国。”

【注释】

①葆：通“保”。

②过：当为“祸”字。

【译文】

齐国准备要攻打鲁国，墨子对项子牛说：“攻打鲁国，是齐国的大过失。当初吴王夫差向东去攻打越国，越王勾践困居会稽；向西攻打楚国，迫使楚昭王出逃到随地；向北攻打齐国，抓获了齐国大将押回吴国。诸侯来报仇，百姓苦于劳役，不肯为吴王出力，于是国家遭到毁亡，吴王自己也遭受刑戮。当初智伯攻打范氏和中行氏，兼有三晋之地，诸侯前来报仇，百姓苦于劳役，而不肯听他调遣，于是国家就灭亡了，他自己也遭受刑戮，也是同样的缘故。所以大国攻打小国，是互相残害，灾祸一定会反过来殃及本国。”

子墨子见齐大王曰：“今有刀于此，试之人头，倅[①]然断之，可谓利乎？”大王曰：“利。”子墨子曰：“多试之人头，倅然断之，可谓利乎？”大王曰：“利。”子墨子曰：“刀则利矣，孰将受其不祥？”大王曰：“刀受其利，试者受其不祥。”子墨子曰：“并国覆军，贼敖[②]百姓，孰将受其不祥？”大王俯仰而思之，曰：“我受其不祥。”

【注释】

①倅：当为“卒”，仓促。

②敖：古“杀”字。

【译文】

墨子前去拜见齐太公说：“如果这里有一把刀，用来砍杀人头，立即便砍断了，可以说这很锋利吧？”太公说：“的确锋利。”墨子说：“如果用它砍许多人的头，立即就砍断了，可以说它很锋利吧？”太公说：“的确锋利。”墨子说：“刀确实锋利，谁将遭受不幸呢？”太公说：“刀有了锋利之名，试验的人遭受他的不幸。”墨子说：“吞并别国领土，灭亡它的军队，残害它的百姓，谁将遭受不幸呢？”君王头低下又抬起思索片刻，说：“我将遭受不幸。”

鲁阳文君将攻郑，子墨子闻而止之，谓阳文君曰：“今使鲁四境之内，大都攻其小都，大家伐其小家，杀其人民，取其牛马狗豕布帛米粟货财，则何若？”鲁阳文君曰：“鲁四境之内，皆寡人之臣也。今大都攻其小都，大家伐其小家，夺之货财，则寡人必将厚罚之。”子墨子曰：“夫天之兼有天下也，亦犹君之有四境之内也。今举兵将以攻郑，天诛亓不至乎？”鲁阳文君曰：“先生何止我攻郑也？我攻郑，顺于天之志。郑人三世①杀其父，天加诛焉，使三年不全。我将助天诛也。”子墨子曰：“郑人三世杀其父而天加诛焉，使三年不全。天诛足矣，今又举兵，将以攻郑，曰：‘吾攻郑也，顺于天之志。’譬有人于此，其子强梁②不材，故其父笞之，其邻家之父举木而击之，曰：‘吾击之也，顺于其父之志。’则岂不悖哉？”

【注释】

①三世：三代。

②强梁：凶暴，强横。

【译文】

鲁阳文君准备要前去攻打郑国，墨子听说后就去阻止他，对鲁阳文君说：“如果让鲁四境之内的大城攻打小城，大家族攻打小家族，杀害他的人民，掠夺牛马狗猪布帛米粟财货，您会怎么办？”鲁阳文君说：“鲁四境之内都是我的臣民，如果大城攻打小城，大家族攻打小家族，掠夺他们的货财，那么我就会重重惩罚攻打的人。”墨子说：“上天兼有天下，也就如同您具有鲁国四境之内一般。如今您要举兵攻打郑国，那么上天的诛伐难道就不会到来吗？”鲁阳文君说：“先生为何要阻止我攻打郑国呢？我攻打郑国，是顺应上天的意志。郑国人三代残杀自己的君主，上天降下惩罚，使其三年遭受饥荒，我将要帮助上天加以诛伐。”墨子说：“郑国人三代残杀自己的君主，上天已经给了他们处罚，使它三年饥荒，上天的诛伐已经够了，现在您又举兵，想要攻打郑国，并且说：'我攻打郑国，是顺应上天的意志。'这就如同有一个人，他儿子强横不成器，所以他父亲鞭打他，他邻居家的父亲也举起木棒击打他，说：'我打他，是顺应了他父亲的意志。'这难道不是很荒谬吗？"

子墨子谓鲁阳文君曰："攻其邻国，杀其民人，取其牛马粟米货财，则书之于竹帛，镂之于金石，以为铭于钟鼎，传遗后世子孙，曰：'莫若我多。'今贱人也，亦攻其邻家，杀其人民，取其狗豕食粮衣裘，亦书之竹帛，以为铭于席豆，以遗后世子孙，曰：'莫若我多。'亓可乎？"鲁阳文君曰："然，吾以子之言观之，则天下之所谓可者，未必然也。"

【译文】

墨子对鲁阳文君说："攻打邻国，杀害他的人民，夺取他的牛马粟米等财物，把这些事书写在竹帛之上，镂刻在金石之上，铭记在钟鼎之上，传给后世的子孙，说：'没有人比我的战果多！'如果平民也攻打他的邻居，杀害邻居的人口，夺取邻家的狗猪食粮衣服被子，也书写在竹帛之上，铭记在席子食器之上，传给他的后世子孙，说：'没有人比我的战果多！'难道可以这样吗？"鲁阳文君说："你说的对。我用您的观点观察，那么天下人所说的可以的事，就未必是正确的了。"

子墨子为[①]鲁阳文君曰："世俗之君子，皆知小物而不知大物。今有人于此，窃一犬一彘则谓之不仁，窃一国一都则以为义。譬犹小视白谓之白，大视白则谓之黑。是故世俗之君子知小物而不知大物者，此若言之谓也。"

【注释】

①为：通"谓"。

【译文】

墨子对鲁阳文君说："世俗的君子们，只知道小事却不知道大事。如果这里有个人，偷了人家的一条狗或一头猪，就称其为不仁；如果窃取了一个国家或一座城池，就称其为义。这就好比是看到一小点白说是白，看一大片白就说是黑。所以，世俗的君子只知道小事却不知道大事的情况，就是这些话所讲的。"

鲁阳文君语子墨子曰："楚之南有啖人之国者桥，其国之长子生，则鲜①而食之，谓之宜弟。美，则以遗其君，君喜则赏其父。岂不恶俗哉？"子墨子曰："虽中国之俗，亦犹是也。杀其父而赏其子，何以异食其子而赏其父者哉？苟不用仁义，何以非夷人食其子也？"

鲁君之嬖人死，鲁君为之诔，鲁人因说②而用之。子墨子闻之曰："诔者，道死人之志也。今因说而用之，是犹以来③首从服也。"

【注释】

①鲜："解"字之形误。

②说：通"悦"。

③来：即氂，牦牛。

【译文】

鲁阳文君对墨子说："楚国南边有个吃人国名叫'桥'，这个国家的长子出生后，就被杀掉吃了，说这样做对弟弟好。如果味道鲜美就献给国君，国君高兴了就赏赐他的父亲。这难道不是一种恶劣的风俗吗？"墨子说："即使中原国家的风俗也有像这样的，父亲因攻战而死就奖赏他的儿子，这和吃儿子奖赏他的父亲有什么不同呢？如果不奉行仁义，又怎么能去指责夷人吃自己的儿子呢？”

鲁君的妃子死了，鲁人阿谀国君为她写了一篇祭文，国君看了非常高兴，就采纳了。墨子听说这件事，说：“祭文是用来说明死人心志的，现在因为高兴采用了它，这就如同用牦牛的头来做衣服一样。”

鲁阳文君谓子墨子曰：“有语我以忠臣者，令之俯则俯，令之仰则仰；处则静，呼则应。可谓忠臣乎？”子墨子曰：“令之俯则俯，令之仰则仰，是似景①也。处则静，呼则应，是似响也。君将何得于景与响哉？若以翟之所谓忠臣者，上有过则微②之以谏；己有善则访之上，而无敢以告。外匡其邪而入其善，尚同而无下比，是以美善在上而怨仇在下，安乐在上而忧戚在臣，此翟之所谓忠臣者也。”

【注释】

①景：通“影”。

②微：伺察。

【译文】

鲁阳文君对墨子说：“有人对我说‘忠臣’是这样的：叫他低头就低头，叫他抬头就抬头；平常居住很安静，叫他才答应，这样能够算作忠臣吗？”墨子说：“叫他低头就低头，叫他抬头就抬头，这好像是影子一般；平常居住很安静，叫他才答应，这就如同回声一般，你将从像影子和回声一样的臣子那里得到什么呢？我所说的忠臣应该是这样的：国君有过错，就会伺机劝谏；自己有良好的见解，就会禀告君王，不敢去告诉别人。匡正君王的偏邪，使他归于正道，和上面保持一致，不在下面结党营私。因此，美善存在于主上，怨仇存在于臣下，安乐归于国君，忧戚归于臣下。这才是我所说的忠臣啊。”

鲁君谓子墨子曰："我有二子，一人者好学，一人者好分人财，孰以为太子而可？"子墨子曰："未可知也。或所为赏与为是也。鈞者之恭，非为鱼赐也；饵鼠以虫，非爱之也。吾愿主君之合其志功而观焉。"

鲁人有因子墨子而学[1]其子者，其子战而死，其父让子墨子。子墨子曰："子欲学子之子，今学成矣，战而死，而子愠，而犹欲粜，籴雠，则愠也。岂不费[2]哉？"

【注释】

①学：教。

②费：为"悖"之借字。

【译文】

鲁国国君对墨子说："我有俩儿子，一个好学，一个喜欢把财物分给别人，谁适合做太子呢？"墨子说："还不知道。他们也许是为了得到赏赐和名誉才这样做的。就像钓鱼人弓着身子，并不是对鱼表示尊敬；用虫子来诱捕老鼠，并不是喜欢老鼠。我希望君王把他们的动机和效果结合起来一起进行考察。"

鲁国有一个人因为和墨子有关系而让墨子教他的儿子学习。他儿子战死了，父亲就去责备墨子。墨子说："你要我教育你的儿子，现在学成，却因战而死，你却跑来怨恨我，这就如同卖出粮食，粮食卖出去了却怨恨，这难道不是很荒谬吗！"

鲁之南鄙人有吴虑者，冬陶夏耕，自比于舜。子墨子闻而见之。吴虑谓子墨子："义耳义耳，焉用言之哉？"子墨子曰："子之所谓义者，亦有力以劳人，有财以分人乎？"吴虑曰："有。"子墨子曰："翟尝计之矣。翟虑耕而食天下之人矣，盛，然后当一农之耕，分诸天下，不能人得一升粟。籍[1]而以为得一升粟，其不能饱天下之饥者，既可睹矣。翟虑织而衣天下之人矣，盛，然后当一妇人之织，分诸天下，不能人得尺布。籍而以为得尺布，其不能暖天下之寒者，既可睹矣。翟虑被[②]坚执锐救诸侯之患，盛，然后当一夫之战，一夫之战，其不御三军，既可睹矣。翟以为不若诵先王之道而求其说，通圣人之言而察其辞，上说王公大人，次匹夫徒步之士。王公大人用吾言，国必治；匹夫徒步之士用吾言，行必修。故翟以为虽不耕而食饥，不织而衣寒，功贤于耕而食之、织而衣之者也。故翟以为虽不耕织乎，而功贤于耕织也。”吴虑谓子墨子曰：“义耳义耳，焉用言之哉？”子墨子曰：“籍设而天下不知耕，教人耕，与不教人耕而独耕者，其功孰多？”吴虑曰：“教人耕者其功多。”子墨子曰：“籍设而攻不义之国，鼓而使众进战，与不鼓而使众进战，而独进战者，其功孰多？”吴虑曰：“鼓而进众者其功多。”子墨子曰：“天下匹夫徒步之士，少知义而教天下以义者，功亦多，何故弗言也？若得鼓而进于义，则吾义岂不益进哉？”

【注释】

①籍：通“藉”，假使。

②被：通“披”。

【译文】

鲁国南郊有个叫吴虑的，冬天做陶器夏天耕种，拿自己和帝舜相提并论。墨子听说之后就跑去见他。吴虑对墨子说：“义啊义啊，哪里用得着去言说呢？”墨子说：“你所说的义，也是有力气就来帮助别人，有财物就会分配给别人吗？”吴虑说：“是的。”墨子说：“我曾思考过：我想靠自己耕种给天下人饭吃，尽管十分努力但才相当于一个农民的耕作，如果把收成分给天下之人，那么每个人分不到一升米。即使一人能分得一升米，也完全不足以喂饱天下饥饿之人，这是显而易见的。我想靠自己纺织给天下的人做衣服穿，尽管十分努力，也不过相当于一名妇女的纺织成果，如果把布匹分配给天下人，每个人也得不到一尺布。即使一人能得一尺布，也完全不足以温暖天下寒冷之人，这是显而易见的。我想身披坚固铠甲，手拿锐利武器，以解救诸侯之患难，尽管十分努力，也不过相当于一位战士作战。一位战士作战再勇猛，也不能抵挡三军进攻，这是显而易见的。我认为，还不如去诵读与研究先王学说，通晓与考察他们的言辞，在上劝说王公大臣，在下劝说平民百姓。王公大臣采纳我的学说，国家就能得到治理；百姓采纳了我的学说，品行就必定会有修养。因此，我个人认为即便不耕作，同样也可以给饥饿之人饭吃，不纺织也同样可以给寒冷之人衣穿，功劳胜过耕作了才给人饭吃、纺织了才给人衣穿的人。因此，我认为即使不耕作、不纺织，而功劳胜过耕作与纺织。”吴虑对墨子说：“义啊义啊，哪里用得着去言说呢？”墨子说：“假如天下之人不知道耕作，教人耕作的人与不教人耕作却独自耕作的人，他们功劳谁更多一些？”吴虑说：“自然是教人耕作的人功劳多。”墨子又问：“假如进攻不义的国家，击鼓使大家作战的人与不击鼓使大家作战、却独自去作战的人，他们的功劳谁更多呢？”吴虑答道：“自然是击鼓使大家作战的人功劳多。”墨子说：“天下平民少有人知道仁义，用仁义来教导天下之人的人功劳多，为什么不劝说呢？假如我能鼓动大家达到仁义的要求，那么，我的仁义不就会更加发扬光大了吗！”

子墨子游公尚过于越。公尚过说越王，越王大说，谓公尚过曰：“先生苟能使子墨子于越而教寡人，请裂①故吴之地，方五百里，以封子墨子。”公尚过许诺。遂为公尚过束车五十乘，以迎子墨子于鲁，曰：“吾以夫子之道说越王，越王大说，谓过曰：‘苟能使子墨子至于越，而教寡人，请裂故吴之地，方五百里，以封子。’”子墨子谓公尚过曰：“子观越王之志何若？意越王将听吾言，用我道，则翟将往，量腹而食，度身而衣，自比[2]于群臣，奚能以封为哉？抑越不听吾言，不用吾道，而吾往焉，则是我以义粜也。钧[3]之粜，亦于中国耳，何必于越哉？”

【注释】

①裂：分。

②比：列。

③钧：通“均”。

【译文】

墨子让公尚过到越国去做官。公尚过游说越王，越王很高兴，对他说：“先生您如果能让墨子到越国教导我，我愿意分出原来吴国之地五百里封给他。”公尚过同意了。于是给公尚过准备了五十辆车，到鲁国前去迎接墨子，说：“我用老师的学说劝说越王，越王很高兴，对我说：‘如果你能让墨子到越国来教导我，我愿意分原来吴国的地方五百里封给墨子。’”墨子对公尚过说：“你看越王的心志是如何的呢？如果越王将听我的言论，采纳我的学说，那么我愿意前去。考虑肚子而吃饭，考虑身体而裁制衣服，自己能够处于群臣之间就可以了，又怎么能因为会获得分封才前往呢？但如果越国不听我的言论，不采纳我的学说，如果我去了，就是我把‘道义’出卖了。同样是出卖‘道义’，在中原国家好了，何必大老远跑到越国去呢！”

子墨子游，魏越曰：“既得见四方之君，子则将先[1]语？”子墨子曰：“凡入国，必择务而从事焉。国家昏乱，则语之尚贤、尚同；国家贫，则语之节用、节葬；国家憙[2]音湛湎，则语之非乐、非命；国家淫僻无礼，则语之尊天、事鬼；国家务夺侵凌，即语之兼爱、非攻。故曰择务而从事焉。”

【注释】

①先：应为“奚”之讹。

②憙：同“喜”。

【译文】

墨子出游，魏越说：“如果能有机会见到各地诸侯，您将先说什么呢？”墨子说：“到一个国家，一定要选择最重要的事进行劝导：如果这个国家混乱，就告诉他们尚贤尚同之道；如果这个国家贫穷，就告诉他们节用节葬之理；如果这个国家喜好声乐沉迷于酒，就告诉他们非乐非命的好处；如果这个国家荒淫怪僻、不讲礼节，就告诉他们尊天事鬼的道理；如果这个国家以欺侮掠夺别国为能事，就告诉他们兼爱非攻的好处。所以说一定要选择重要的事情去做。”

子墨子出[①]曹公子而于宋，三年而反，睹子墨子曰：“始吾游于子之门，短褐之衣，藜藿之羹，朝得之则夕弗得。祭祀鬼神。今而以夫子之教，家厚于始也。有家厚，谨祭祀鬼神。然而人徒多死，六畜不蕃，身湛于病，吾未知夫子之道之可用也。”子墨子曰：“不然！夫鬼神之所欲于人者多，欲人之处高爵禄则以让贤也，多财则以分贫也。夫鬼神岂唯擢[②]季拑肺之为欲哉？今子处高爵禄而不以让贤，一不祥也；多财而不以分贫，二不祥也。今子事鬼神唯祭而已矣，而曰：‘病何自至哉？’是犹百门而闭一门焉，曰：‘盗何从入？’若是而求福于有怪之鬼，岂可哉？”

【注释】

①出：当为“仕”。

墨子

②擢："攫"之形误，用手取。

【译文】

墨子推荐曹公子到宋国做官，三年之后回来了，看见墨子说："刚开始我在您的门下学习时，穿的是粗布短衣，吃的是野菜之类粗劣食物，早晨吃过，晚上可能就没得吃了，不能祭祀鬼神。如今由于你的教育栽培，我因此而变得富裕。家里富裕了，就开始谨慎祭祀鬼神。结果反而家里人多死亡，六畜不繁盛，自己也困于病患之中。我还不知道先生您的学说是不是可以用。"墨子说："并非如此。鬼神希望人做的事很多：希望人处高官厚禄之时可以让贤，财物多了可以分享给穷人。鬼神难道只是想取食祭品吗？如今你处在高官厚禄之位却不让贤，这是第一种不吉祥；财物多不分给穷人，这是第二种不吉祥。如今你侍奉鬼神，仅有祭祀罢了，却说：'病从哪里来？'这就如同百门只闭上了一门，却问：'盗贼从哪里进来？'像这样向对你有责怪的鬼神祈福，难道是可以的吗？"

鲁祝[1]以一豚祭，而求百福于鬼神。子墨子闻之曰："是不可。今施人薄而望人厚，则人唯恐其有赐于己也。今以一豚祭，而求百福于鬼神，唯恐其以牛羊祀也。古者圣王事鬼神，祭而已矣。今以豚祭而求百福，则其富不如其贫也。"

彭轻生子曰："往者可知，来者不可知。"子墨子曰："籍设而亲在百里之外，则遇难焉，期以一日也，及之则生，不及则死。今有固车良马于此，又有奴马[2]四隅之轮于此，使子择焉，子将何乘？"对曰："乘良马固车，可以速至。"子墨子曰："焉在矣来！"

【注释】

①祝：司祭人。

②奴马：驽马。

【译文】

鲁国有一人用一头小猪去祭祀，向鬼神祈求降下百种福气。墨子听说了这件事说："这样是不行的。如今施给人的少，希望得到的多，那么别人就会害怕你有东西送给他们了。现在你只用一头小猪去祭祀，却向鬼神祈求百种福气，鬼神就会害怕你用牛羊祭祀了。当初圣王侍奉鬼神，只是祭祀罢了。如今用小猪祭祀却向鬼神祈求百种福气，与其祭品丰富，还不如贫乏呢。"

彭轻生子说："以前的事情是可以知道的，未来的事情却不可以知道。"墨子说："假如你的父母在百里之外，即将遇到大灾难，只有一天时间，到达那里他们就能活下来了，到不了就会死去。如今有坚固的车子和骏马在这里，同时这里又有驽马和四方形轮子的车子，让你来选择，你会选择哪一种呢？"彭轻生子说："当然是乘坐骏马拉的坚固车子，这样可以快速到达。"墨子说："那么如何说未来的事不可知呢？"

孟山誉王子闾曰："昔白公之祸，执王子闾，斧钺钩要[①]，直兵当心，谓之曰：'为王则生，不为王则死。'王子闾曰：'何其侮我也！杀我亲而喜[②]我以楚国，我得天下而不义，不为也，又况于楚国乎？'遂而不为。王子闾岂不仁哉？"子墨子曰："难则难矣，然而未仁也。若以王为无道，则何故不受而治也？若以白公为不义，何故不受王，诛白公然而反王？故曰难则难矣，然而未仁也。"

【注释】

①要：古"腰"字。

②喜："嬉"之假借字，作弄。

【译文】

孟山称赞王子闾说："当初白公在楚国作乱，挟持了王子闾，用斧钺逼着他的腰，用剑矛抵住他的心窝，说：'做楚王就让你活，不做就让你死。'王子闾说：'你怎么能侮辱我呢！杀死我的亲人，却用楚国的王位来让我欢喜，用不义得到的天下我都不做，又何况是一个楚国呢？'他终究不做楚王。王子闾难道还不够仁义吗？"墨子说："难是够难的，但还没有达到仁义的地步。如果他认为楚王昏聩，为何不接受王位治理好国家呢？如果他认为白公不义，为何不接受王位，诛杀白公再把王位交给惠王呢？所以说：难是够难的，但还没有达到仁义的地步。"

子墨子使胜绰事项子牛，项子牛三侵鲁地，而胜绰三从。子墨子闻之，使高孙子请而退之曰："我使绰也，将以济①骄而正嬖②也。今绰也禄厚而谲夫子，夫子三侵鲁，而绰三从，是鼓鞭于马靳③也。翟闻之：'言义而弗行，是犯明也。'绰非弗之知也，禄胜义也。"

【注释】

①济：止。

②嬖：同"僻"。

③靳：此处代指马胸。

【译文】

墨子让胜绰前去项子牛那儿当官，项子牛三次入侵鲁国，胜绰三次都跟从了。墨子听说后，派遣高孙子请项子牛辞退胜绰，说："我派胜绰去，是让他阻止骄傲和纠正邪僻。如今胜绰得到了厚禄，却欺骗先生，先生三次入侵鲁国，胜绰三次跟从，这是用鞭子去抽打马胸。我墨翟听说：'口称仁义却不实行，这是明知故犯。'胜绰并非不知道，他只不过是把俸禄看得比仁义重要罢了。”

昔者楚人与越人舟战于江，楚人顺流而进，迎流而退，见利而进，见不利则其退难。越人迎流而进，顺流而退，见利而进，见不利则其退速。越人因此若埶，亟败楚人。公输子自鲁南游楚，焉始为舟战之器，作为钩强①之备，退者钩之，进者强之。量其钩强之长，而制为之兵，楚之兵节②，越之兵不节，楚人因此若埶，亟败越人。公输子善其巧，以语子墨子曰：“我舟战有钩强，不知子之义亦有钩强乎？”子墨子曰：“我义之钩强，贤于子舟战之钩强。我钩强，我③钩之以爱，揣④之以恭。弗钩以爱则不亲，弗揣以恭则速狎，狎而不亲则速离。故交相爱，交相恭，犹若相利也。今子钩而止人，人亦钩而止子；子强而距人，人亦强而距子。交相钩，交相强，犹若相害也。故我义之钩强，贤子舟战之钩强。”

【注释】

①钩强：即钩、镶，古兵器。

②节：义同“适”。

③我：为“义”之假借字。

④揣：推拒之意。

【译文】

当初楚人与越人在江上进行船战，楚人顺流而进，逆流而退，见有利形势就去进攻，见形势不利想要退却很困难。越国人逆流而进，顺流而退，见形势有利就进攻，见形势不利想要退却就会很快。越人借着这种水势，屡次打败了楚人。公输盘从鲁国向南游历来到了楚国，开始制造船战用的武器，他制造了钩和镶两种兵器，敌船后退就用钩来钩住它，敌船进攻就用镶来推拒它。估量钩和镶的长度，而制造了适宜的兵器，楚人的兵器适用，越人的兵器不适用。楚人仗着这种优势，后来又屡次打败了越人。公输盘夸赞自己制造的钩镶的灵巧，对墨子说："我的船战上有自己制造的钩和镶，不知道您的仁义是不是也有钩和镶？"墨子说："我仁义的钩和镶，胜过你船战的钩和镶。我以'仁义'为钩和镶，以爱钩，以恭敬推拒。不用爱钩就不会亲，不用恭敬推拒就容易轻慢，轻慢不亲近就会很快离散。所以，互相兼爱互相恭敬，就好像互相给予利益。如今你用钩来阻止别人，别人也会用钩来阻止你；你用镶来推拒别人，别人也会用镶来推拒你。互相钩，互相推拒，就如同互相残害。所以，我的仁义的钩和镶，胜过你的船战的钩和镶啊。"

公输子削竹木以为鹊[1]，成而飞之，三日不下。公输子自以为至巧。子墨子谓公输子曰："子之为鹊也，不如匠之为车辖。须臾刘[2]三寸之木，而任五十石之重。故所为功，利于人谓之巧，不利于人谓之拙。"

公输子谓子墨子曰："吾未得见之时，我欲得宋。自我得见之后，予我宋而不义，我不为。"子墨子曰："翟之未得见之时也，子欲得宋，自翟得见子之后，予子宋而不义，子弗为，是我予子宋也。子务为义，翟又将予子天下。"

【注释】

①鹊：同"鹊"。

②刘：为"斲"之形误，砍的意思。

【译文】

公输盘削竹子和木头做喜鹊，做成之后就让它在天空上飞，三天没有落下来。公输盘自己觉得非常精巧。墨子对公输盘说："你做的喜鹊，还比不上匠人做的车轴上的销子，木匠一会儿就能削成一块三寸的车销子，用它来装五十石重的东西。所以做事情，有利于人可称作精巧，不利于人就叫作拙劣了。”

公输盘对墨子说：“我没有见到您之时，我想要攻打得到宋国。而自从我见了您之后，如果是不义的，白给我宋国，我也不会接受。”墨子说：“我没有见到你的时候，你想要得到宋国，自从我见你之后，如果是不义的，白给你宋国，你也不会接受，这其实是我已经把宋国送给你了。你如果努力维护义，我还将要送天下给你呢。”

公输

【题解】

本篇是《墨子》中唯一一篇完整的记叙文，讲述了墨子只身前往楚国，劝说楚王和公输盘放弃攻打宋国的故事。公输盘为楚王制造云梯，准备进攻宋国，故而墨子从齐国起身，千里迢迢赶到楚国，以沙盘作业的攻防比试，制止了一场侵略战争。这个故事的意义在于其表现了墨子主张“兼爱”“非攻”并非只是提空洞的口号，而是身体力行的。

公输盘①为楚造云梯之械，成，将以攻宋。子墨子闻之，起于齐，行十日十夜而至于郢，见公输盘。

公输盘曰：“夫子何命焉为？”子墨子曰：“北方有侮臣，愿借子杀之。”公输盘不说。子墨子曰：“请献十金。”公输盘曰：“吾义固不杀人。”子墨子起，再拜曰：“请说之。吾从北方闻子为梯，将以攻宋。宋何罪之有？荆国有余于地，而不足于民，杀所不足，而争所有余，不可谓智。宋无罪而攻之，不可谓仁。知而不争，不可谓忠。争而不得，不可谓强。

义不杀少而杀众，不可谓知类。”公输盘服。子墨子曰：“然，乎[②]不已乎？”公输盘曰：“不可。吾既已言之王矣。”子墨子曰：“胡不见我于王？”公输盘曰：“诺。”

【注释】

①公输盘：鲁班，战国初鲁国的巧匠，公输为其号。

②乎：为“胡”之误，何。

【译文】

公输盘为楚国制造了云梯，造成之后，准备用它来攻打宋国。墨子听说这件事，就从齐国起身，走了十天十夜终于到了楚国的郢都，见到公输盘。

公输盘说：“先生您有何见教？”墨子说：“北方有一个欺侮我的人，希望请您帮我杀了他。”公输盘听了很不高兴。墨子说：“我愿意奉送十镒黄金给您。”公输盘说：“我奉行仁义，绝对不去杀人。”墨子站起身，再次行了拜礼说：“请您听我说说仁义。我在北方听说你建造云梯，准备用来攻打宋国。宋国有什么罪呢？楚国土地有余，而人口却不足，如今却要牺牲不足的人口，去掠夺有余的土地，这不能算是智慧。宋国没有罪过却去攻打它，不能算是仁义。知道这些却不去争辩，不能算作忠诚。争辩却没有成功，不能算是强大。你说自己奉行仁义，不愿去杀那个人，却愿意去杀害众多的百姓，不能说是明智。”公输盘被他说服了。墨子说：“那么为何不取消进攻宋国呢？”公输盘说：“不能。我已经把这件事对楚王说了。”墨子说：“为什么不把我引荐给楚王呢？”公输盘说：“好。”

子墨子见王，曰：“今有人于此，舍其文轩[①]，邻有敝舆，而欲窃之；舍其锦绣，邻有短褐，而欲窃之；舍其粱肉，邻有糠糟，而欲窃之。此为何若人？”王曰：“必为窃疾矣。”子墨子曰："荆之地，方五千里，宋之地，方五百里，此犹文轩之与敝舆也；荆有云梦[②]，犀兕麋鹿满之，江汉之鱼鳖鼋鼍为天下富，宋所为无雉兔狐狸者也，此犹粱肉之与糠糟也；荆有长松、文梓、楩楠、豫章，宋无长木，此犹锦绣之与短褐也。臣以三事之攻宋也，为与此同类。臣见大王之必伤义而不得。"王曰："善哉！虽然，公输盘为我为云梯，必取宋。"

【注释】

①文轩：彩车。

②云梦：楚国大湖名。

【译文】

墨子见到楚王，说："现在有这样一个人，舍弃自己华丽的彩车，邻居只有一辆破车，却想要去偷；舍弃自己锦衣华服，邻居有粗布短衫，却想要去偷；舍弃自己的美食佳肴，邻居只有粗食糟糠，却想要去偷。这是怎样的一个人呢？"楚王说："这个人一定是得了偷窃病。"墨子说："楚国的地域，方圆五千里，宋国的地域，方圆五百里，这就如同彩车与破车相比；楚国有云梦大湖，犀牛、麋鹿之类珍禽异兽充满其中，长江汉水里的鱼鳖鼋鼍是天下少有的物产，宋国却连野鸡、兔子、狐狸也没有，这就如同美食佳肴与粗粮糟糠相比；楚国有松梓楠樟等名贵木材，宋国连一棵大树也没有，这就如同锦绣华服与粗布短衣相比。我认为楚国攻打宋国这件事，与这三件事相类似。我认为如果您这样做，一定会伤害道义，却不能有所收获。"楚王说："说得很好！即使如此，可公输盘已经给我建造了云梯，一定要先攻取宋国。"

于是见公输盘，子墨子解带为城，以牒为械，公输盘九设攻城之机变，子墨子九距之，公输盘之攻械尽，子墨子之守圉[①]有余。公输盘诎[②]，而曰："吾知所以距子矣，吾不言。"子墨子亦曰："吾知子之所以距我，吾不言。"楚王问其故，子墨子曰："公输子之意，不过欲杀臣。杀臣，宋莫能守，可攻也。然臣之弟子禽滑釐等三百人，已持臣守圉之器，在宋城上而待楚寇矣。虽杀臣，不能绝也。"楚王曰："善哉！吾请无攻宋矣。"

子墨子归，过宋，天雨，庇其闾中，守闾者不内[③]也。故曰："治于神者，众人不知其功；争于明者，众人知之。"

【注释】

①圉：御。

②诎：屈。

③内：通"纳"。

【译文】

于是又来见公输盘。墨子解下腰带围成一座城池，用木片作为守城的器械，公输盘多次设置攻城的机巧变化，墨子一次次抵拒了他的进攻。公输盘攻城用的器械用尽了，墨子的防御战术还有余。公输盘无可奈何，就说："我知道用什么办法对付你，但是我不说。"墨子也说："我知道你想用什么办法对付我，我也不说。"楚王问原因，墨子说："公输盘的意思，不过是杀了我。杀了我，宋国就没有人能防守了，就可以攻打了。然而，我的弟子禽滑釐等三百人，已经拿着我的守城器械，在宋国都城上等待楚国的侵略军了。即使杀了我，守御的人也不能杀尽。"楚王说："好吧！我决定不攻打宋国了。"

墨子从楚国回来，路过宋国，天上下着雨，想要到闾门前去避雨，然而守闾门的人却不让他进去。所以说："那些将灾祸在酝酿阶段就解决掉的人，众人不知道他的功劳；那些在明处争辩不休的人，众人却知道他。"

备梯

【题解】

本篇是墨子研究城池防守战术的篇章之一。在《公输》一篇中，提到墨子用守城之法，挫败了公输盘的云梯攻法，让楚王放弃攻打宋国，但具体守城之法是怎样的，并没有讲，这一篇便通过禽滑釐的提问，详细地讲了守城之法。不过，墨子也指出，守城之法并不是万能的，它只是一个战术方法，如果国君不行仁政，仍然是要灭亡的。

禽滑釐子事子墨子三年，手足胼胝，面目黧黑，役身给使，不敢问欲。子墨子其①哀之，乃管酒块②脯，寄于大山，昧菜③坐之，以樵禽子。禽子再拜而叹。子墨子曰："亦何欲乎？"禽子再拜再拜曰："敢问守道？"子墨子曰："姑亡，姑亡。古有其术者，内不亲民，外不约治，以少间众，以弱轻强，身死国亡，为天下笑。子其慎之，恐为身薑。"

【注释】

①其：应作"甚"。

②块：应作"槐"。

③昧菜：在地上铺设毛草。

【译文】

禽滑釐事奉了墨子三年，手脚起满了老茧，面容晒得黝黑，干仆役的活听老师使唤，却不敢随心所欲地发问。墨子十分怜惜他，于是准备了酒和肉干，登上泰山，垫些茅草坐下来，用酒肉酬劳禽滑釐。禽滑釐行了再拜礼之后，叹了一口气。墨子说：

"你有什么想要问的吗？"禽滑釐于是又拜了四拜，说："敢问守城的方法是怎样的？"墨子说："先别问，先别问。古代也有懂守城之法的人，但对内不亲抚百姓，对外不缔结和平，自己兵少却疏远兵多的国家，自己力弱却轻视强大的国家，结果身死而国家灭亡，被天下人所耻笑。你对此可要慎重，弄不好还会引来杀身之祸。"

禽子再拜顿首，愿遂问守道。曰："敢问客众而勇，烟资[①]吾池，军卒并进，云梯既施，攻备已具，武士又多，争上吾城，为之奈何？"

子墨子曰：问云梯之守邪？云梯者重器也，其动移甚难。守为行城，杂楼相见，以环其中。以适广陕[②]为度，环中借幕，毋广其处。行城之法：高城二十尺，上加堞，广十尺，左右出巨各二十尺，高、广如行城之法。

【注释】

①烟资：应作"堙茨"。

②陕：通"狭"。

【译文】

禽滑釐拜了两拜后又伏地叩头，仍然希望能弄清楚守城的方法。说："还是冒昧地问您，如果攻城的士兵众多而且又勇猛，填塞我方护城河，军士齐头并进，攻城云梯已经架起来了，进攻武器也已经安排好了，大量的勇敢兵士，争先恐后爬上我方的城墙，这种情形应该如何应对呢？"

墨子说：你是问防御云梯的办法吗？云梯是笨重的攻城器械，移动起来非常困难。守城一方可在城墙上筑起"行城"，各楼之间隔开一段距离，将己方兵士环绕起来。根据行城之间的距离，两者之间的部分要拉上防护用的遮幕，因此距离不宜过宽。筑行城的方法是这样的：行城高出原城墙二十尺，上面加上锯齿状的城堞，宽十尺，左右两边所编大木横出各二十尺，高度和宽度均和行城保持一致。

为爵穴、辉鼠[①]，施苔其外，机、冲、钱[②]、城，广与队等，杂其间以镌、剑，持冲十人，执剑五人，皆以有力者。令案目者视适，以鼓发之，夹而射之，重而射[③]，披[④]机借之，城上繁下矢、石、沙、炭[⑤]以雨之，薪火、水汤以济之。审赏行罚，以静为故，从之以急，毋使生虑。若此，则云梯之攻败矣。

【注释】

①辉鼠：这里指小洞穴，只有老鼠通过。

②钱：应作“栈”。

③射：后疑漏一“之”字。

④披：应作“技”。

⑤炭：应作“灰”。

【译文】

城堞下部开凿小孔名为“爵穴”“辉鼠”，外面用皮革遮挡起来，还要备好投石机、冲撞车、栈道、行城等，其排列的宽度应当与敌人进攻的广度相等，各器械之间安插持镌和持剑的士兵，掌冲车的要十人，拿剑的要五人，都应当挑选力气大的军士来担任。用视力好的兵士观察敌军，用鼓声发出抗击号令，从两边向敌人交叉射箭，重点集射关键人员，然后再借助各种器械，从城上雨点般地将箭、砂石、灰土倾泻给城下的敌人，再辅之以投掷火把、倾倒滚烫的开水等方法。同时，要赏罚严明，处事镇静，关键时刻又能当机立断，不致发生其他变故。这样防守，云梯攻法就会被挫败了。

守为行堞，堞高六尺而一等，施剑其面，以机发之，冲至则去之，不至则施之。爵穴，三尺而一。蒺藜投必遂而立，以车推引之。裾城外[①]，去城十尺，裾厚十尺。伐裾[②]，小大尽本断之，以十尺为传[③]，杂而深埋之，坚筑，毋使可拔。二十步一杀，杀有一鬲，鬲厚十尺。杀有两门，门广五尺。裾门一，施浅埋，弗筑，令易拔。城[④]希裾门而直桀。

【注释】

①裾城外：三字前疑漏一“置”字。裾，通“椐”。

②伐裾：后疑漏“之法”两字。

③传：应作“断”。

④城：后漏“上”字。

【译文】

守城一方在行城上筑起“城堞”，一律高六尺，上面安装上剑，用机械发射，敌方的冲撞车来了，就把它撤掉，没来就使用它。城堞下部开凿名为“爵穴”的小洞，每隔三尺一个。“蒺藜投”一定要成列摆放，用车来推拉。在城外十尺安置断树，称之为“椐”。椐的厚度为十尺。采伐断树时，无论大小，一律连根拔起，锯成十尺一段，间隔一段距离深埋于地下，一定要埋坚固，以免被敌人拔出来。城墙上每隔二十步设置一座“杀”，每座“杀”里备一个储放投掷物的“鬲”，鬲厚十尺。“杀”安装两个门，每个五尺宽。椐上也可设有门，不过在这里要浅埋才成，不要埋结实，让它很容易就能被拔出来。城上对着椐门的地方放置小木桩，以便于我方投掷。

县火，四尺一钩樴。五步一灶，灶门有炉炭。令适人尽入，辉火烧门，县火次之。出载而立，其广终队。两载之间一火，皆立而待鼓而然火，即具发之。适人除火而复攻，县火复下。适人甚病，故引兵而去，则令我死士左右出穴门击遗师，令贲士、主将皆听城鼓之音而出，即“诸产得宜”，又听城鼓之音而入。因素出兵施伏，夜半城上四面鼓噪，适人必或，有此必破军杀将。以白衣为服，以号相得，若此，则云梯之攻败矣。

【译文】

城上悬挂火具，叫作“悬火”，每隔四尺设置一个用以挂火具的钩子。每隔五步设置一口灶，灶门备有炉炭。等敌人全部进入后就放火烧门，紧接着投掷悬火。排列好作战的器具，要根据敌人进攻范围来相应地摆放。两个作战器具之间设置一个悬火，由一个士兵掌管，等待鼓声一响就点悬火，随即投放敌军。敌军如果将悬火扑灭而再次进攻，就再次点燃悬火。这样一来，敌军必定疲惫不堪，因此就会领兵而去，此时就命令敢死队从左右出穴门前去追击溃逃之敌，让勇士和主将都务必按照城上的鼓声来出击。再趁着反击时布置埋伏，半夜时在城上四面击鼓呐喊，敌人必定会惊慌疑惑，有这个方法一定会破敌军军营擒杀敌军将领。伏兵要用白衣做军服，用口令相互联络。这样一来，云梯攻城法就会失败了。